JN092538

スーパーロボ
秘める驚異の魔力

和製ベンチャー王が究める人工新人類

松延英治

東京図書出版

序論　歴史的転換点に立つ日本！

米ＥＶメーカーのイーロン・マスクＣＥＯは日本が消えてなくなると警告した。日本は史上最速で人口減少が起こり少子高齢化で就労人口が減少し年金暮らしの高齢者が増える。

政府の医療費負担が年々増え社会保障費は年々増加し日本は衰退し続ける。ＧＤＰは90年代から低迷し国と地方の債務は1千兆円を超える。女性の合計特殊出生率は１・３台まで低下した。30年以上この状態が続いている。政府は色々手を打つが小手先の安易な対策では衰退の流れは止まらぬ。

日本は国家存亡の危機にある。残念ながら現在の日本には政治家にも民間にもこの流れを止める人間はおらぬ。政治家は目先のことで手柄を立て票集めしないと次の選挙で落選する。深刻な日本の未来は二の次となる。

企業経営者は４半期毎に業績を公表し目先の業績を上げないと自分のクビが危ない。昔のように長期的視野に立ちお国の未来を見据え施策することが難しい。このままではイーロン・マスクの警告通り日本は消えてなくなる。戦後の高度成長期に世界2位の経済大国となった日本が消える。日本はまさに歴史的転換点に立っている。

何としても生き残り再び世界をリードする日本の未来道を探さねばならぬ。

日本は世界に希有の歴史を有するではないか。歴史に先人達が未来を切り拓く叡智を遺しているではないか。

明治維新の最中に生まれ日立鉱山の機械を修理する掘立小屋で創業し一代で日本一の大事業を育てた小平浪平は野武士と言われた。浪平は日立村の山の中に優秀な人材を集め欧米先進国から技術を導入した時代に独力で電気機械を開発し国産化して電気時代を開拓した。和製最強ベンチャー王である。

「生年百に満たざるに常に千年の憂いを懐く」

浪平の揮毫が東京国分寺市の森の中にある日立中央研究所に遺されている。浪平は天から日本を見守っている。

浪平が遺した遺訓に従い未来への道を探求した結果が第1編「スーパーロボ　秘める驚異の魔力」である。まさにこの未来道は的中していると考え、これを第1編とした。

スーパーロボの開発を読者に強くアピールするためである。

スーパーロボはコンピューターサイエンス、データサイエンス、モビリティサイエンス究極の超高付加価値製品である。最高の人工頭脳を搭載するスーパーサイバーロボット（Super Cyber Robot Mounted Artificial Brain）でスーパーロボと略称する。スーパーロボは人類史上初の人工新人類である。

スーパーロボは特長７Ｃ（7 Criteria）を有し全知全能を傾注し人々を援ける。日本を救い世界を変える驚異の魔力を秘める。これは日本復活の具体策である。日本は世界のリーダーとして世界を平和と繁栄へ導くことが可能である。スーパーロボは人口減少で衰退する日本の救世主となる。

第2編は浪平が如何なる生育環境で育ったか記した。大事業家の出現は幼少期の生育環境で決まる。日本を事業家や天才名人が続々と生まれる国にする。スーパー教育の導入でこれが実現できる。戦後の高度成長期に生まれ幼児期に何不自由なく何の苦労もなく育つと日本は凡人の集合体となり国の未来は怪しくなる。和製ベンチャー王浪平も裕福な家庭で何不自由なく育っていたら大事業家にはなれなかった。厳しい生育環境が浪平を大事業家に育てた。スーパー教育で教育を無料化し幼児の素質に応じその潜在力が最大限に発現するように教育革命を行う。日本の幼児全員を宝に変える。玉磨かざれば光なし。

第3編「和製ベンチャー王の遺訓」は浪平がこの世に遺した事業哲学と戦略を記述した。浪平はまだ電気が世に知られていない時代に著名な作家兼ジャーナリスト村井弦斎に助言を求め電気工学の将来性を見込んで優秀な人材を高給で優遇し野武士団を創成した。総力結集奮励努力、電気製造の一本道を邁進した。明治時代の電気工学はまさに黎明期の最先端キーテクノロジーであった。

現代の最先端キーテクはまだ黎明期にある人工知能である。人工知能は２０４０年代に人間知能を超えると予測される。人工知能はまさに電気工学の延長上にある。

浪平の遺訓を継承し総力結集奮励努力すると成功確率１００％スーパーロボが日本を救う新時代が到来する。スーパーロボは知能だけでなくその特長７Ｃは神の如し。勤勉礼節、人を思いやり情け深く親切で道理を弁える。日本はスーパーロボを量産する。日本に世界を変える驚異の魔力が付与される。日本人に自信満々やる気が出るはずである。マイクロソフトが株式の５割を取得したという、オープンＡＩのＣＨＡＴ－ＧＰＴや生成ＡＩが今世界の注目を集めているがこれはまだ序の口、ヒヨコである。コンピューターサイエンス、データサイエンス、モビリティサイエンス究極の姿がスーパーロボである。スーパーロボの開発を急げ！　本著を総理大臣ほか政治家、世界トップの自動車メーカーの最高幹部ほか大企業経営幹部、財界幹部、金融業界幹部に献上する。日本の未来を拓くスーパーロボの開発をお願いする。

スーパーロボ　秘める驚異の魔力

目次

第3編 和製ベンチャー王の遺訓 …… 119

第1編　スーパーロボ　秘める驚異の魔力

１　スーパーロボ　魔力の原点

「生年不満百常懐千歳憂」（生年百に満たざるに常に千年の憂いを懐く）創業者小平浪平の揮毫が国分寺市の森の中にある日立中央研究所に遺されている。目先のことだけに捉われず世の行く末を思索し基礎的な研究を怠るなということである。２０３０年は日立創業１２０周年２度目の還暦に当たる。浪平が生きた明治から昭和時代と令和の現代は激変したが浪平創業の事業哲学を継承し、これからの日本はどうなるのか探求する。

スーパーロボは電気工学の延長線上にある情報通信の究極の技術。24Hフル稼働、不眠不休無食無給で稼働し勤勉礼節。知情意は神の如し。質実剛健・意志強固。情け深く親切で人に愛され尊敬される。これが魔力の原点である。スーパーロボは量産可能で世界人類の救世主となる！

日本には8万5千の神社が実在する。伊勢神宮に天照大神、出雲大社に大国主命、八幡神宮には応神天皇、近江神宮に天智天皇、東照宮に徳川家康が祀られる。神々は日本の行く末を守護している。古代人は国家のため尽力した偉人を神と崇敬し神社に祀った。天照大神や神武天皇は神話時代の偉人である。

浪平没後弟子たちが遺した思い出は浪平の事業哲学を後世に伝えるため遺されたのである。浪平の遺訓は千年2千年で尽きることはない。遺訓は今も生き続ける。

欧米に始まる化石文明は日本に人口爆発をもたらしその反動で今激しい人口減少が起きている。その速度は有史以来最高速度である。歴史には縄文時代に大きな人口減少が起きている。

ＢＣ２３００年頃、凡そ4千年続いた縄文海進の温暖化により、人口は2万から26万５千の13倍に増加したが縄文海退の寒冷化が起こりＢＣ１３００年は16万、ＢＣ９００年は７万５千と70％減少した。そのあとＡＤ２００年に59万、ＡＤ７２５年４５２万と再び人口増加に転じた。何故か。ＢＣ6～7世紀頃中国の江南地方から水稲民族が渡来して来た。福岡の板付遺跡や唐津の菜畑遺跡には水稲遺跡が遺されている。

日本列島の人口は7割減少したがこの流れを止めたのが渡来人の水稲技術であった。沖縄と北海道を除く日本列島全域に水稲はこの頃広まった。

そして人口増加に転じた。水稲農耕のキーテクノロジーが人口減少を食い止めた。渡来人の水稲農耕はまさにその事実を後世に遺した。

西欧に始まる化石文明は石炭石油による動力革命であった。化石文明は人口爆発をもたらしたが資源は有限で枯渇する。CO_2温暖化で気候変動が発生する。人口爆発の次は人口急減少である。人口減少の根は深く安易な対策では減少は止まらぬ。

縄文海退から凡そ３千年後の21世紀日本で再び人口減少が起きた。しかもその速度が速い。縄文時代の凡そ10倍の速さで女性の合計特殊出生率が１・３台に低下し上昇せぬ。

若者に明るい未来が見えぬ。高齢者が増え就労人口が年々減少する。街やＪＲ駅ホームには老人施設や介護施設、病院や診療所の看板ばかりが目立つ。

高齢者医療介護、これが現在の成長産業である。北海道から沖縄まで過疎化が進んで空き家や荒れ地が増えペンペン草茫々。老人が増え若者が減り結婚式場は葬儀場に代わりお寺が栄え葬儀や法事のお布施が増え墓地売上が増え高齢者医療介護が現代の成長産業である。

次世代を担う若者にこんな仕事ばかりで明るい未来の展望は開けぬ。子供が欲しくても若者は将来が不安で子供を育てる自信が持てぬ。

浪平が明治の学生時代に村井弦斎を訪ね電気工学専攻を決めたように21世紀の日本を再建する最新技術を探さねばならぬ。明治初期は白熱電球もモーターも発電機もなかった。人々は電気を知らなかった。モーターや発電機など見たこともなかった。浪平はそんな時代に独力でモーターや発電機を開発し電気機械製造を創業した。資金も技術もないところからスタートした。

河川の水力を電力に変え電力を照明に変えモーターで動力に変え鉱山電化、炭坑電化、製鉄電化、化学工業電化、冶金工業電化、鉄道電化。電化で生産力が10倍上昇した。百年遅れ自動車EV化が今起きている。

21世紀現在、浪平がやったことと同じことをやればよい。生産性を10倍上げるキーテクを探求する。このキーテクが人工知能（ＡＩ）である。浪平が学生時代に専攻分野を決めるため助言を求めた村井弦斎は『食道楽』の大ベストセラーを書いた著名な作家兼ジャーナリストである。１９０１年1月『報知新聞』に「20世紀の予言」をした。この中に「電気の世界」「無線電信電話」が提示されている。まだ電気や無線電信が世の中に知られてない時代に電気工学専攻を浪平に説いた。弦斎の予言は的中した。現代の電気工学の発展、インターネットの進歩を見れば予言はまさに的中した。弦斎が予言した電気工学、無線通信の延長線上にあるのが人工知能ＡＩである。弦斎が20世紀に予言した電気工学と無線通信の究極の技術がＡＩで弦斎予言の延長上にある。これが日本を救う驚異の魔力を秘める。

ＳＢＧの孫正義ＣＥＯは人工知能1億人が人間10億人の能力を有すると説いた。孫はソフトバンクビジョンファンドＳＶＦを立ち上げＡＩ革命の先陣を切る。世界中の上場前ＡＩ企業に投資し育成する。すでに４００社以上のＡＩユニコーン企業（評価額10億ドル以上設立10年以内の未上場企業）に投資している。

ＡＩ革命はホワイトカラー＋ブルーカラー革命である。孫は人類社会繁栄のためＡＩ革命家を志向している。孫は２０４０年代にＡＩが人間知能を超えると予言した。

このキーテクにより後述の通り日本の人口減少を食い止め生産性を10倍上げる。ＡＩは日本を救う天の恵みである。２０２２年現在ＡＩはまだ序の口である。これから30年50年後どれほどの進化を遂げるか誰にも解らぬ。明治時代に浪平が電気工学を専攻した時と同じ状態である。財務省の２０２１年度歳出は１０６・６兆円でその内訳を見ると社会保障35・８兆円（33・6％）。次が国債23・８兆円（32・３％）で借金払いと高齢化による医療費増加と年金増加が政府のクビを絞めている。

歳入はどうか。公債43・６兆円（40・９％）、消費税20・３兆円（19％）。政府は借金と消費税で国民を賄っている。肝心の所得税収はその次で18・７兆円（17・５％）。法人税は僅か９兆円（８・４％）。法人税は税収の４分の１である。政府は過去30年この流れを止められぬ。日本政府は借金漬けの生計である。

何時からこうなったか。１９８９年12月29日、日経平均は３万８９１５円史上最高値をつけ90年年明けから大暴落が始まった。最高値の株価はＰＥＲ60に達していた。それ以前に兆候があった。12月２〜３日米国大統領ジョージ・ブッシュとソ連ミハイル・ゴルバチョフのマルタ会談で冷戦が終結した。11月９日にはベルリンの壁が崩壊した。世の中が変わるという恐怖が日経平均の大暴落につながった。大中小企業と金融機関に不良債務が発生し企業は赤字が続出した。２００８年９月15日リーマンショックで暴落し10月27日底値７１６２円はピーク値から82％下落した。現在もこの恐怖が経営者の頭から離れぬ。設備投資、正社員化、昇給も控え目で企業留保金は５００兆円に達するが企業経営者は財布のヒモを締めたままで景気サイクルの回転が止まったままである。

かくして民間の金融資産残高は21年6月で１９９２兆円と積み上がった。このうち現金＋預貯金は１０７２兆円で株式２１０兆円、投信89兆円となった。

この金融資産は国民に均等に分布せず東京や大阪など都市部の富裕な高齢者のフトコロで眠り続けている。後述するようにこれを日本復活に活かす。

一方この景気サイクルが回らぬシワ寄せが政府債務増大の主因となっている。先述の通りである。１９９０年税収は60・1兆円であるが２０２０年60・８兆円、21年57・４兆円と30年間増えておらぬ。景気サイクルは止まったままで税収も増えぬ。これに対し歳出は右肩上がり、20年度１４７・６兆円、21年度１０６・６兆円と増大する（20年新型コロナ対策含む）。

諸外国と比べ日本政府の債務残高はズバ抜けて大きい。２０２０年日本はＧＤＰ比２５６・２％、伊１５５・６％、米１２７・１％、加１１７・８％、仏１１３・５％、英１０３・７％、独68・９％である。こうなったのは少子高齢化で就労人口が減少し年金暮らしの高齢者が増え高齢者の成人病など医療費が年々増えるからである。

社会保障費は１９９０年11・６兆円が右肩上がりに毎年増え２０２１年35・８兆円に増えた。国債も90年14・３兆円が21年59・６兆円と増え国債と社会保障費合計は90年25・９兆円が21年59・６兆円と２・３倍に増大した。１９９０年から30年以上この状態が続いている。

戦後日本は奇跡の高度成長をとげ世界2位の経済国となったが、２０２1年4月1人当たりＧＤＰは1位ルクセンブルグ１１８千ドル、７位米63・４千ドル、19位独54千ドル、26位仏46千ドル。30位日本は42千ドルと衰退した。１人当たりＧＤＰを3倍上げるとルクセンブルグを抜いて世界1位となる。これが本来の日本のあるべき姿ではないだろうか。

この実現のため就労人口が減少しＧＤＰが低迷する日本をスーパーロボでストップする。

２０００年日本の就労人口は８６０万人でこれを放置すると２０５０年５４０万人と３分の2に減少する。

そこでこの就労人口減少を補うためスーパーロボを投入する。スーパーロボで日本の産業革命を起こすのである。単なる人工知能ＡＩだけでなく人工頭脳に格上げしたスーパーロボの特長７Ｃは次の通りである。

①最高位の勤。勤勉。24Ｈフル稼働。不眠不休無食無給与。残業手当も国民健保も不要。効率的に仕事を素早く正確にこなし電気エネルギーで稼働する。

②最高位の知。専門知識最高レベル。専門が医師の場合、国家試験満点合格レベル。医療は医師、看護師、薬剤師が能力に応じ分担するがスーパーロボは医師、看護師、薬剤師の能力を備え病院経営の会計士や経営者の能力も有する。スーパーロボは全知全能の神の如き能力を有する。

③最高位の情。義理人情と礼節。人を思いやり優しく親切心にあふれる。凡人が持つ恨み憎しみを持たぬ。私利私欲ゼロ。人を慰め励ます。そのためスーパーロボは人々に愛され尊敬され普及するほど社会は前進する。お国のため世界の平和繁栄のために尽くす意思が強固で人々を幸せにする驚異の魔力を有する。

④最高位の意。至誠通天。意志が強固で忍耐強く日本を救い世界を変えるという目的を果たすため全知全能を投入し奮励努力邁進する。

⑤最高位の和。以和為貴。スーパーロボはネットでつながり互いの連携が最高になる。例えばコロナが発生すると病院は患者であふれ、医師、看護師はジタバタ走り回り混乱する。ネットでつながるスーパーロボは整然と互いに連携しロスとムダがなく高効率で素早い。

⑥最高位の安。安全安心。児童や高齢者虐待、セクハラパワハラ、強盗強姦殺人、事故、不良、紛争、戦争など世の不幸を最小化する。しかし露中北から何時超音速の核ミサイルが飛んで来るか解らぬ。緊急時スーパーロボを神風特攻モードに切り替え瞬時に相手基地と独裁者を絶滅する。宇宙衛星に待機するスーパー特攻は不眠不休24Hフル稼働で露中北を監視。ロボは空気食事排泄不要。地上と連携しスーパー特攻が出動し相手を全滅する。

⑦最高位の基。最高の新基盤技術、最高の人工頭脳、最高の高速大容量通信、ロボテックス、サイバーブロックチェーン、小型大容量バッテリーの新基盤技術の集積体である。

……人類の科学技術が到達した究極の製品スーパーロボは人類の未来1万年先も到達不可能な高度の新人類である。この結果、従来の乗用車や電気製品が二百～三百万円／トンの高付加価値製品であったがスーパーロボはその十倍二千～三千万円／トンの超高付加価値製品となる。

人材育成には通常30年と1人当たり凡そ3千万の費用が要る。百万人の育成には凡そ30年と30兆円の費用が要る。しかもこの中に悪質な人材が多数混入する。大学理事長の不正な脱税や東京オリパラ組織委元理事が広告会社と結託し談合したこと、窃盗や殺人強盗や賄賂、スキャンダラスなニュースに事欠かぬ。

一方、7Cの特長を持つスーパーロボ100万台の開発量産化は数年と数兆円で可能である。スーパーロボは乗用車と同様の量産品で不良品ゼロである。

人材育成に比べロボの開発は期間も費用も10分の1以下となる。開発スピード10倍で人間のように悪質な不良品は交じらぬ。スーパーロボ全員が百年に1人か百万人に1人の最高能力、最高品格を備える。この最強スーパーロボが次々と産業革命を起こすのである。

歴史的人口減少で人手不足の危機にある日本に能力10倍のスーパーロボが投入される。欧米など海外も同様である。ＯＥＣＤ先進国にも開発途上国にも輸出する。スーパーロボ革命が世界に広がる。スーパーロボは誰も今まで見たことがない聖女や天使や神の如き人工新人類出現を意味する。

石器に始まる人類の道具作りは現代の家電品に至るまで商品に特長7Cはなかったがスーパーロボは人を導き激励する。これがスーパーロボ魔力の原点である。

スーパーロボは人類の科学技術が創成した神の化身である。コンピューターサイエンスの究極の商品である。人々のため全身全霊を傾け人々を助けるスーパーロボが人々に愛され慕われるのは当然である。スーパーロボは人々を導き激励する。スーパーロボは普及するほど世界を新文明社会に変える驚異の魔力を有する。

言い換えればスーパーロボは人類の叡智を結集した人工新人類の出現を意味する。百万人に1人、百年に1人の偉人や天才や名人や多種多様の超一流人材で勤勉礼節、奮励努力、以和為貴の人工新人類出現を意味する。

スーパーロボは量産品でありトヨタの乗用車同様10万台でも100万台でも安く早く量産可能である。そしてさらに不良品ゼロである。

その具体事例として後述の通り浪平が明治時代に始めた産業電化の中で出遅れた自動車電化が気候温暖化対策のためEVとして現在進んでおりこの潮流は止まらぬ。自動車EV化は天の警告である。災い転じて福となす。自動車よりもっと大きい未来を拓くスーパーロボ事業を開発する。政府、民間、財界、業界、日本の総力を結集し世界最強スーパーロボを開発する。

ガソリン車からEV化すると日本自動車業界は4万社が空洞化する。日本経済が潰れることは明白である。日本を支える自動車業界が沈没するとどうなるか。答えは明白。日本はイーロン・マスクの警告通り滅亡する。スーパーロボはこの空洞化を防ぎ日本を救うため出現するのである。スーパーロボは究極の新モビリティでもあり世界最先端新技術である。いよいよ世界最強トヨタの出番が来た。世界トップのトヨタは日本の公器である。歴史的分岐点に立つ日本の大黒柱である。トヨタの創始者豊田佐吉、創業者豊田喜一郎は自動車業界のみならず日本の守護神である。世界最先端の新モビリティ、スーパーロボを開発量産化し、日本を先導して欲しい。

ご想像して頂きたい。

コンピューターと競争して人間が勝てるか。囲碁やチェスでコンピューターと名人が勝負して勝てるか、答えは勝てぬ。20年30年後スーパーロボはホワイトカラーやブルーカラーや技術者医師教師や事務員の能力をはるかに上回る。人は怒り恨み憎しみから犯罪や紛争や戦争を引き起こす。ヒューマンエラーで事故や事件を引き起こす。

人々と共存し神のごとき7Cを備えたスーパーロボは世界を楽園に変える。朱に交われば赤くなるがスーパーロボと交わる人々は最高の特長7Cを有する新文明人に進化する。開発途上国も日本製スーパーロボ導入により高速で新文明に進化する。百年を要する文明化を十年に高速化することができる。

麻薬は人に快楽を与えるが麻薬を吸えば中毒により心身を蝕む。スーパーロボはその逆で普及するほど人類を進化させ世界を平和と繁栄に導く。これがスーパーロボの驚異の魔力である。スーパーロボは世界を変える力を有する。極言すればスーパーロボは人工の神の化身である。コンピューターデータサイエンス究極の商品である。

孫ＣＥＯはスーパーロボの能力を人の10倍としたが、ここでは控え目に5倍として見積もり人口減少対策にスーパーロボを投入する。

理解を深めるため例えば介護士１００名の老人施設で昼夜8時間3交替で勤務すると３００名の介護士が必要となる。人間には睡眠と食事休憩も必要である。

この介護を能力10倍のスーパーロボに頼むと10台のスーパーロボで足りる。３００人が10台のロボで十分である。ロボは24Ｈ不眠不休・無食無給無休憩でフル稼働。

勤勉礼節互いに助け合い協力し連携して業務遂行する。親切で優しく老人を労わる。日本を助ける意志が強固で死力を尽くす忍者のように速足で飛び回り任務を果たす。ユーモアがあり謙虚で20年30年働き通しで疲れぬ。入居者の老人たちに愛され尊敬されるのは当然である。介護士３００名の労務費は凡そ年15億円、スーパーロボはレンタル料年1千万で済む。最も喜ぶのは施設経営者である。老人の虐待や殺害など忌まわしい事件がゼロとなる。

では1人の介護士で細々と介護施設を経営する場合はどうか。レンタル料は介護士年俸より安価なためスーパーロボを2台導入し勤勉礼節24Ｈフル稼働し連係プレーの良さと高尚な７Ｃで介護士10人分の働きができる。老人介護能力は10倍に上がり虐待や殺害が極小化する。老人には施設が極楽浄土となる。

極言すればスーパーロボは家電やスマホや乗用車と同様単なる商品に過ぎぬが最大の相違がスーパーロボは人工頭脳を搭載することだ。これが「スーパーロボ　秘める驚異の魔力」の原点である。店舗の売子、警察官、消防士、自衛隊員、教師、保育士、公務員、銀行マン、証券マン、会計士、税理士、弁護士、司法書士、旅館の仲居さん、ホテル従業員、農業などなど……人々ができることはすべてスーパーロボにできる。スーパーロボが普及するほど社会は進化する。

日本製スーパーロボを世界に広めると人類社会を変える。前経団連会長故中西宏明がソサエティ５・０と命名した産業とＩＴハイテク融合の社会が誕生する。

以降スーパーロボを職業別に医師の場合はスーパー医師、看護師はスーパー看護師、教師はスーパー教師と呼称する。医師や教師や事務員や店の売子は相手が人間でありスーパーロボが好ましい。人間は本能的に自らを利するものを愛する習性があり飼い犬を愛犬、乗用車を愛車と呼んで愛する。先述した７Ｃの特性を持つスーパーロボは人に愛され病院も学校も幼稚園も明るく楽しいコミュニティーに進化する。はかり知れぬプラス効果が期待できる。

危険を伴う消防や警察、防衛にスーパーロボが必要である。危険な状況下で人間に代わり探索や人命救助を行う。

最重要課題は現在も年々増え続ける社会保障費の医療介護に人々に愛されるスーパー医師や

スーパー看護師スーパー薬剤師スーパー介護士を導入し国民医療費の増大を止める。この重大課題については後述する。その前に、必ずしもヒト型ロボットを必要としない分野も沢山ある。

農機にＡＩを搭載すると運転手が農機を運転するのと同じである。耕運機、種蒔器、除草機、施肥機、脱穀機……すべて無人化できる。ブラジルやアフリカの農場を日本からリモート操業することもできる。

農林漁業、鉱山、鉄道、新幹線、航空機、土木建築、トラック、乗用車、船舶、防衛機器、人工衛星ロケットなど様々な分野の機器や装置に人工頭脳を搭載する。ＩｏＴすべてのものをネットでつなぐ技術でシェアエコノミーが進展する。農機は一毛作の場合年1回稼働で極めて稼働率が低い。これをネットでつなぎ10の農業法人でシェアすれば10倍稼働率が上がる。土地建物も衣類ブランド品も物品売買はネットで行われる。次世代社会の激変はすべてをここに述べることができないほど変革が起きる。

最先端ナノ半導体は次世代の最重要電子部品である。日本はその昔、世界シェア50％を超える半導体王国であった。日本は捲土重来を期しトヨタＮＴＴなど大手企業がラピダスを設立した。再び半導体王国にならねばならぬ。

この決め手になるのがスーパーロボである。製造工程から人手作業を極小化する。防塵服を着ても人手はダスト発生源となり歩留まりを下げる。ここに最優秀ダストゼロのスーパーロボを投入しプロセスを無人化する。これから最先端半導体回路はピコの時代になる。日本半導体世界シェア復活はスーパーロボが決め手となる。スーパーロボは歩留り品質を最高に上げ生産コストを最小化する。結果的に日本は最先端半導体・スーパーロボ王国に進化する。10年後日本は半導体王国となる。これを支えるのがスーパーロボである。まずやるべき最重要課題は医療介護費増加による政府の社会保障費増大をスーパーロボで食い止めることである。

2

スーパー医療介護大革命

高齢者増加による医療介護費増加は重要課題であるが、それ以上に重要な問題が高齢者虐待である。世のため人のため何十年も働いてきた高齢者のクビを絞めて殺してはならぬ。天網恢々疎にして漏らさず。天の網目は粗いが天は漏らさず日本を見ているので天罰を受ける。つまりそのような国は亡びる。

養護者の虐待は06年1万2569件が17年1万7078件136%増えている。通報・相談は1万8390件が17年3万40件163%に増えている。養護者が高齢者を虐待する。余

スーパー医療介護の現場はこの世の楽園に進化する

スーパー医師、スーパー看護師、スーパー薬剤師、スーパー介護士は私利私欲ゼロ。専門知識は神の如し。患者に優しく思いやり深く虐待や事故やヒューマンエラーゼロ！　犯罪パワハラセクハラ虐待が激減し生産性は倍々増！

命短い高齢者が家族に虐待を受ける（ネット記事「みんなの介護」）。年寄り虐めが年々増えてはたまらぬ。人格高潔高徳なスーパー介護士は高齢者を労わり女神や聖女のように接する。虐待も通報・相談もゼロとなる。介護職員の虐待は06年約50件が17年４５０件と９００％急増した（「朝日デジタル」18年３月10日）。

高齢者には知的障害者もいるので話が解らぬ老人や加齢臭の老人もいるが老人をベランダから投げ落としたり有害物を飲ませたり血管に空気を注射し殺してはならぬ。日本を高齢者いじめ大国にしないでくれ。スーパー介護士は常に労わり絶対乱暴せぬ。スーパー介護士は介護犯罪をゼロにする。

医療でもヒューマンエラーによる事故が起きている（ＡＭＥＢＡのネット記事）。06年１２６５件が年々増加し17年４０９５件３２４％に増えている。

スーパー医師はメカトロ装置でありヒューマンエラーゼロ。電卓やパソコンが計算ミスしないようにスーパー医師はヒューマンエラーを起こさぬ。同様に自動車の自動運転を開発中であるが完成すると交通事故も激減する。

スーパーロボ投入で火災や殺人や強盗など凶悪犯罪を激減できる。先述した７Ｃの特長を持つスーパーロボと共に働いている人々はまるで神々と共に働いているがごとく心を洗われる。次世代社会では神々のようなスーパーロボと共に働くのである。神々に交わればどうなるか想像すればわかる。

またスーパーロボは鋭敏な認証力を持ちその認証速度は瞬時である。人混みの中から挙動不審者を見つけ連係プレーで追跡し現行犯で犯罪者を捕まえる。スーパーロボは犯罪を激減する。スーパーロボは世界を照らし未来を明るくすることができる。

スーパー医師などどうやって開発するか。日本だけでなく世界中の病院や医院や診療所に保管されているカルテをビッグデータとして活用し医学論文や医学事典や雑誌や医療関連の法律や規制、講演、演説、著書、日誌など……莫大なデータを読み取り分析し加工しスーパー医師を合成する。内科、外科、整形外科、脳神経科……様々な専門分野のスーパー医師が合成される。

内科でも心臓とか泌尿器とかさらに分かれてスーパー医師も多様になるが全領域で神の如きスーパー医師を育成することが可能である。最高レベルの医師はシュバイツァー博士のような医師もいれば赤ヒゲ型スーパー医師もいる。それを合成した複合型スーパー医師もいる。最高レベルは多様で医療カルテや論文は毎年発行されスーパー医師は毎年バージョンアップされ年々スーパー医師は進化する。

同様にスーパー看護師・スーパー薬剤師・スーパー介護士を合成する。カルテや論文を読み鉛筆ナメナメ人手に頼ると仕事ははかどらずヒューマンエラーが発生し莫大な人件費を要する。カネと時間のムダでいつ終わるか解らぬ。スーパー技術者合成はコンピューターにしかできない。

通常の医師の育成は幼稚園から小・中・高・大学医学部からインターン、国家試験と凡そ30年の育成期間と1人当たり凡そ5千万円の育成費が必要とされる。10万人の医師開発は30年と

５兆円を必要とし巨額資金と長い年月を要する。

これに比べビッグデータによるスーパー医師合成ははるかに速く安上がりである。スーパー医師合成は年収1千万円の技術者30名を10年投入しても30億円、医師育成の時間は３分の1に費用は０・０６％である。さらにスーパー医師は大量生産が可能でレンタルで料金を貰うようにする。毎年バージョンアップが必要でレンタル契約して年々売上は積算される。看護師や薬剤師も同様の手法で開発する。薬剤師は銀行のＡＴＭ端末のように無人化し薬剤師は不要となる。

医療介護は病人や老人など弱者を助ける高尚な仕事である。看護師も介護士も女神のように患者を思いやり労わり励ます。神の愛の宣教者マザーテレサの言葉や記事、文献、著書、永年勤続で表彰され看護師や介護士として尽くした世界の功労者のデータを分析加工しスーパー看護師や介護士を合成する。こうすることでスーパー看護師は世界最高レベルの神の愛に満ちた看護師や介護士になる。さらに毎年データが増えバージョンアップされる。

病院や診療所、医院にこのスーパー新人類を送り込む。想像して貰いたい。今まで重かった病院や診療所は花が咲いたごとく別世界に進化する。

＊　＊　＊

ところで現在日本の医療制度は世界最高水準とＷＨＯが評価しているが実態はどうか。オランダ医学誌（『ランセット』２０11年4月1日）は日本が世界一の長寿国で国民皆保険によりアクセスし易い医療を実現し先進国の中では低い医療費と称賛している。

日本医師会は国民皆保険制度により何時でも誰でも保険証さえあればサービスが受けられる世界に冠たる世界一の医療制度と自賛している。本当だろうか。

一方２０１０年「ロイター通信」は国民の医療に対する日本の満足度が15%であり先進22カ国中最下位としている。日本ほど医療に不信感を持っている国は少ないのである。

先述の通り財政的に医療介護は政府財政をひっ迫する。社会保障費は２０３５年には１５０兆円と言われている。国民医療費は１９５５年２３８８億円が年々増大し２０１５年42兆３６４４億円と１７７倍に増大した。見方を変えれば衰退する日本で巨大な成長産業となった。これを家庭に例えれば病人が出て家庭が崩壊するのと同じで、何とかして医療費増大を食い止めねばならぬ。

医療サービスを受ける患者は不幸にも病人でありケガ人である。余命短い高齢者や家族を扶養する働き盛りかもしれぬこの世の弱者である。医療は国民のため弱者を救済する高尚な業務である。

医師は患者から先生と敬語で呼ばれている。衰退社会の中の成長産業であるが浪平の言葉を借りれば他人の不幸により漁夫の利を占めてはならぬ。日本は昔、神の国と言われた。医療介護で高齢者や病人の不幸により漁夫の利を占めてはならぬ。

警察官や消防士、自衛隊員は国民を守る仕事である。学校の教師は次世代を担う子供たちを育成する高尚な業務である。これでカネもうけすると国がおかしくなる。

浪平は自分の経営する大企業も公器であると明言した。大企業は富国隆盛のために存在するとした。社員全員に質素倹約贅沢せずムダせぬように教えた。日本医療の実態はどうか。医療は病人相手に漁夫の利を占めてないか。欧米と比較すると次の通りである。

①人口千人当たり病床数は欧米平均の２・６倍。精神病床数は年々増え５倍（ＯＥＣＤ健康統計２０１７）。日本は入院する患者が多く医療費は出来高払いで病院は繁盛する。

②薬剤師は年々増え欧米の２倍。成長産業で年収が良い（同右）出来高払いで処方薬を食べるほど処方され薬局が繁盛し薬剤師が欧米の２倍になっている。

③診療回数は欧米の５倍。出来高払いのため回数で年収を稼げる（菅原良男他「日本医療と先進国比較」）。

④薬価はトリルダンが２・５倍、リスモダンが３・４倍と高価（浜六郎『薬害はなぜなくならないか』日本評論社）。患者は高価な輸入薬を出来高払いで処方され高価な薬代を払っている。

⑤医療機器価格はペースメーカー３・８倍、カテーテル４・５倍、ステント２倍（日本臨床外科学会ＨＰ）。医療機器費は医療費に転嫁され患者負担となる。

⑥入院時の在院日数は欧米の３・９倍、急性入院は３・１倍（ＯＥＣＤ統計２０１７）。在院が長いほど病院は繁盛するが患者はフトコロが寂しくなる。

⑦ＣＴ・ＭＲＩ設置台数は人口百万人当たり欧米のＣＴ４・３倍、ＭＲＩ２・５倍（同右）。
高価な輸入品ＣＴ・ＭＲＩの稼働率を上げるため患者にＣＴやＭＲＩ検査を勧める。
⑧ＭＲＩ価格は欧米の１・３倍から２・３倍（１９９６国民生活白書）。日本はＭＲＩや
ＣＴ、ＰＥＴなど高価な医療機器を大量に輸入し出来高払いで稼働する。この費用は医
療費として国民と政府に転嫁される。
⑨医薬品・医療機器は輸入超過で慢性貿易赤字。医薬品は１９９４年輸入４３１６億円、
輸出１５８４億円。輸入は輸出の２・７倍である。
医薬品は年々輸入が右肩上がりに増加し２０１８年３兆０９１８億円、輸出７３３１億
円。輸入は輸出の４・２倍。この費用が処方箋に転嫁される。
医療機器１９９４年輸入約１兆円、輸出約４０００億円。輸入は輸出の２・５倍である。
右肩上がりに輸入が増加し２０１４年輸入１兆３６８５億円、輸出５７２３億円で輸入
は輸出の２・４倍の慢性貿易赤字である。

２０１０年４月「共同通信」が報じたロイター通信の「医療制度に関する満足度調査」で日本人の医療に関する満足度は先進22カ国中最低の15%であった。日本人患者の医療に関する満足度は先進国で最低レベルではないか。

一方日本医師会のパンフレットを見ると世界に冠たる日本の医療制度とか世界一の医療制度

とか誉め言葉が並んでいる。どちらを信用すればよいのか。

答えは簡単明瞭である。日本医師会が言う通り世界に冠たる医療であれば日本のため世界のため全世界にどんどん輸出して貰いたい。本当に世界に冠たる医療制度なら一カ国二カ国と言わず世界２００余りの国に輸出できるはずである。

しかし30年も高価な医薬品や医療機器を慢性貿易赤字で購入し医療費に転嫁して回収する。この実態を見れば日本の医療制度を輸入する国が本当にあるだろうか。

医療は弱者を救う崇高な仕事である。他人の不幸により漁夫の利を占めるな。

日本の医療がなぜこのように歪んでいるのか。

警察や消防は官営である。殺人や強盗など犯罪は減らさねばならぬ。犯人逮捕を点数制にして警官の年収を払えばどうなる。警官は犯罪が年々増える方が年収アップする。消防署員も給与を点数制にすれば火災が年々増える方が年収アップする。

自衛隊員を点数制で給与を払うと戦争が年々激化する方が年収増になる。犯罪や災害や戦争や病人など他人の不幸により漁夫の利を占めてはならぬ。

然るに日本医療はまさに医療報酬と薬価が点数制の出来高払いである。病人が増えるほど医師年収が増える。このため日本医師会は日本の医療制度を世界に冠たると自我自賛するが弱者の患者には最低の満足度となるのである。

日本の医療制度を真に世界に冠たる医療制度に進化させ社会保障費上昇をとめ世界に輸出で

きるように改革する。そのためにはなぜ今日の情けない医療制度になったのか、その原因を突き止める必要がある。原因究明のため国民健保のルーツを辿らねばならないが紙面の都合上要点を述べる。

日本医師会に天皇が出現したのは昭和32（1957）年で以降13期25年昭和57年まで日本医師会会長として君臨。天皇の権威は薬剤師会や歯科医師会にも及び3師会に英名は轟いた。本名は武見太郎である。

在位年数、押しの強さも右に出る者はいなかった。天皇の意に背くと厚生省役人も威嚇され往生した。大臣も会うのを嫌がり机の下に隠れた。この天皇が長きにわたり日医会会長の座を独占した。会長任期は2年であるが天皇は次の選挙に備え副会長3人と理事10人を自分の味方で固めた。選挙の度に圧勝し25年13期を務めた（辞めた翌年ガンで病没）。

何故斯くの如き魔力を持てたのか。背後に大物政治家とのつながりがあった。

明治の元勲大久保利通の次男牧野伸顕の次女利武子は武見太郎の義母に当たる。秋月種英と利武子の間に生まれたのが武見太郎の妻英子で牧野は農商務、外務、宮内、内大臣を務め、パリ講和条約全権大使を務めた。

牧野の長女は吉田茂夫人雪子で吉田は武見の義理の伯父に当たる。麻生太郎は吉田の孫でその弟奏の夫人は武見の息女和子である。系図には戦後日本を世界第2位の経済大国に導いた総理総裁の名前がズラリと並ぶ。武見天皇はこの華麗なつながりをバックに猛威を振るった（水野肇『誰も書かなかった日本医師会』）。

武見の舞台は戦後日本の高度成長期で日本の国民皆保険は１９６１年に整備された。当初の国民健保は昭和13（１９３８）年に設立された。工場労働者や会社員の健保はあったが農漁民や自営業者は健保がなかったため政府は同法を設立した。国民健保は低所得層の国民を守る制度である。保険加入者は貧乏で医者には儲からぬ仕事となる。武見はこの儲からぬ保険医に猛反対したのである。

健保加入者は低所得者で政府は国民と医師会に挟まれた。儲けたい医師会と保険加入者で貧困な国民と厚生省の葛藤の歴史が始まったのである。

日本医療は質が高く世界の模範となるはずであるが、ここにカネもうけの仕組みを入れると難しくなる。現実に医師の中には中村哲博士のように命を懸け世界で活躍する医師たちが沢山いる。技術の腕を磨き神の手ドクターと呼ばれるスーパードクターが沢山いる。医師は国民を病気やケガから守る崇高な仕事である。本来なら警察や消防や自衛隊と同様に世界の模範となるべき仕事である。

この医療で儲ける仕組みの構築が日本医療の悲劇であった。国民の生命を守る仕事は何よりも貴い。これをカネもうけの道具にしてはならぬ。浪平の名言「他人の不幸による漁夫の利を占めるな」に反する。

国民健保は病院も医院も診療所も運営が成り立つように専門病院にかかるには医院や診療所

の紹介状が必要で紹介状がない場合は5千円支払う。これで病院の患者を減らし医院や診療所の患者を増やし小医院でも医師が儲かるように仕組まれている。

高級百貨店の三越で高級品を買うには駅前売店から紹介状を貰って行けば三越で買い物できるというのと同じである。日本の医療は医師会の独占市場で外国医師や病院は勝手に開業できないためこのような仕組みが可能となっているのである。こんな時代遅れの医療をやっていては世も終わりである。国は借金まみれとなり国民は疲弊するが医療や介護の業界は繁盛する。

アマゾンは小売業に破壊的革命をもたらした。アマゾンのネット販売で百貨店もスーパーも駅前の小店舗も不要となる。ネットで品物を注文すると即日配送される。

日本の医療介護をスーパー医療で生産性を10倍上げる。外来診察もスーパー医師が患者を瞬時に診察する。診察料も診察時間も10分の1となる。後述するように世界中の貧困国も医療が受けられるようにする。

薬価と診療報酬は中医協というブラックボックスで決めている。メンバーは日本医師会、厚生省、薬剤師会など20名くらいで2年毎に見直すがここに医師会の圧力が加わる。心臓マッサージ30分２５００円、風邪診察４０００円とかどういうふうに決めたのか。医師や薬局が儲かるように決めるのか。こんな不透明なやり方を政府が許可しては世も終わりである。アマゾンがネット販売で破壊的革命を起こしたようにスーパー医療で日本医療の破壊的革命を起こさねばならぬ。

薬価はスーパー薬価決定システムで瞬時に決めゴネ押しや医師会の圧力など通ぜぬように正当に決定する。世界一安い薬を買うようにする。

診療報酬は出来高払いで診療するほど儲かる仕組みである。医院も診療回数を増やせば儲かる。入院患者は長く在院した方が儲かる。患者が高度医療を受けた方が儲かる。日本には誠実な医師が沢山いるがこの取り決めにより医師になれば誰でも儲かり健保は毎年赤字となる仕組みになっている。

医者は高価な検査をやり高価な薬を飲ませ診察で患者を脅すようなことをしてはならぬ。入退院や在院日数も正当に行うようスーパー診療システムとスーパー医師がダブルチェックする。低所得者の患者を助ける。

次に医療費の査定は誰がやるのか。生命保険では保険会社が査定し支払いを決める。自動車保険も火災保険も保険会社が査定する。しかし健保は医師ＶＳ患者である。査定は医師が行うのである。弱い立場の患者は医師に従うほかない。

日本の医師は患者が来るのを心待ちにしている。そして薬剤を沢山与え頻繁に診療しＭＲＩやＣＴなど高価な検査を受け点数の多い手術を望んでいる。医師は本当に必要な治療を行うようにお願いする。医療費は半減しさらにその半減が可能である。

日本人は本来勤勉礼節な国民で思いやり深く親切である。医師にも立派な医師が沢山いる。これを活かせば日本医療は間違いなく世界一で人類を救うことができる。その医療で日本は財政破綻の危機に瀕している。

日本の医療がこれで良いわけがない。医療を徹底的に見直さねばならぬ。浪平の言葉をもう一度思い起こそう。他人の不幸により漁夫の利を占めるな。

ご想像頂きたい。このような日本医療や介護に、人格も専門知識も情け深さも世界最高レベルのスーパー医師やスーパー看護師やスーパー介護士が導入されるとどうなるか。24Hフル稼働し給与も食事も不要で休憩もとらず勤勉礼節患者を労わり人の10倍働くのである。このスーパー介護士はまるで神の如き能力を備えしかも謙虚である。

ラフな試算であるが日本に凡そ年収500万円の看護師が115万人いる。この内15万人を看護リーダーとして残し100万人をスーパー看護師に変える。スーパー看護師の能力を看護師の5倍とすると20万人のスーパー看護師が必要となる。

スーパー看護師はレンタルで神のごとき高能力メカトロ装置である。レンタル料は年100万円とする。スーパー看護師を提供するメカトロメーカー売上はレンタル料年2000億円となる。

医療機関は100万人の看護師を減らし20万人のスーパー看護師をレンタルで支払うので年当たり4兆8000億円人件費節約が可能となる。スーパー看護師は低生産性労働を高生産性に変える高性能高能力メカトロ装置である。医療を人手に頼らずさらに高度医療体制に進化するツールである。看護師は後述するようにもっと高度高収入の仕事が待っている。

同様に薬剤師は日本に凡そ33万人いる。このうち３万人をリーダーとして残しレンタル料１００万円のスーパー薬剤師６万人に変えると医療機関はメカトロメーカーにレンタル料６００億円を支払うことになる。医療機関の人件費節約は薬剤師年収５００万円として１兆４４００億円となる。薬剤師の仕事は江戸時代とあまり変わらぬ手作業である。これを銀行ＡＴＭのように無人化できる。余剰人材をもっと高度高年収業務にシフトする。

同様に日本に42万人医師がいる。４万人を残し残り38万人を８万人のスーパー医師におき換えると医療機関はメカトロメーカーにレンタル料１台３００万円とし２４００億円を支払う。医療機関の人件費節約は６兆６０００億円である。医師は給与が高いので年収凡そ１８００万円として試算した。

これで医療機関は凡そ12兆８０００億円人件費を節約できる。スーパー医療を用いれば医師、看護師、薬剤師さらに運営に必要な会計士、事務員、経営者の業務もすべて処理できるので節約はもっと大きくなる。

スーパー医療介護の合理化はこれがその一部である。ＰＥＴ・ＣＴ・ＭＲＩなど高価な設備導入を10年間凍結しシェアエコノミーを導入しトラックで全国を巡回検診することもできる。製薬開発をスーパー化する。

医療機関は激しいグローバル競争に晒され改善を重ねている日本企業の爪のアカを煎じて飲む。いまどき医療介護ほど人手作業に頼り高価な医薬品を慢性貿易赤字で輸入し、そのツケを国民と政府に転嫁するなど日本人としてあるまじき行為である。

医師は高級地に豪邸をかまえ高級外車を乗り回し視察や学会の名目で海外旅行を楽しむイメージが国民にある。同様に警察や消防は国民を守る公器であるが警察署長も消防署長も高級外車にも豪邸にも縁がない。国民を守る医師は国民の血税に吸い付いてはならぬ。

２０１９年日本の介護職員２１１万人が２０４０年に２８０万人になると予測されている。余命短い老齢者を養護者も介護職員も虐待するな。介護業界で虐待が年々増えているのは先述の通り。スーパー介護士を導入し虐待ゼロにする。同時に神の如き能力を有するスーパー介護士で人件費増大を抑える。

２８０万の介護士の中30万人を残し２５０万人分を能力5倍で年レンタル料１００万円の50万人のスーパー介護士にシフトするとメカトロメーカーに５０００億円を支払い介護機関は12兆５０００億円の人件費節約となる。虐待ゼロになることは勿論である。介護施設を人生の楽園に変える。ＩＴハイテクを用いるとまだまだムダをなくせる。日本の医療介護を世界に輸出できるようになる。スーパー医療介護を導入し人材をもっと高生産性高付加価値の仕事にシフトするのである。医療介護用ソフトは勿論これからソフトが日本の主力産業となる。人材をこの分野にシフトする。

２０１８年国民健保制度の見直しがなされ従来の１７００余りの市町村による運営から47都道府県運営に運営母体が統合し強化された。

これにより地域医療の運営がより大幅に合理化される。運営する都道府県は医療費増を好まぬ。1円でも節約したい。

大企業は社員の健康保険組合を運営する。ここも医療費増は好まぬ。1円でも節約したい。中小企業共済会は社員のため共済会健康保険組合を運営する。運営者は誰も医療費増大を止めたい体制である。厚労省は勿論真っ先に医療費増を止めたい。

この状況の日本医療に先述のスーパー医師やスーパー看護師、スーパー薬剤師が投入される。医療革命が起きる。医療介護費は安くなる。健康保険料も安くなる。監督責任者として残った医師や看護師、薬剤師は年収増となる。その代わり自分より高能力のスーパー医師やスーパー看護師のリーダーとして仕事の責任を負うことになる。スーパーロボはメカトロで機械装置に仕事の責任はとれぬ。

日本の医療介護はスーパーロボ導入により劇的に改善できる。まさに医療介護大革命である。これを世界の諸国に輸出し世界に光を与える。スーパーロボは驚異の魔力を秘める。

3

教育・消防・警察・防衛・官公庁地方自治体・金融・サービス・農林漁業・製造業・非製造業スーパー大革命

保育所幼稚園小学校からコンピューター言語になじませコンピューターの天才を育成する。幼児、幼稚園児、小中高生、大学生は日本の未来を拓く宝である。

話が横道に逸れるがロシアのプーチンがウクライナに侵攻し民間人を殺害し学校や病院社会インフラを爆撃している。何が欲しいのか。プーチンは共同アパートで生まれたというがどんな環境に育ったのか。気が狂っている。プーチンも幼

次世代を育てる教育、身の危険を伴う防衛・消防・警察にスーパーロボを導入犯罪激減で社会が安定化。教育はシナジー効果で天才や名人が続出する。

少から育成環境に恵まれればノーベル平和賞を貰える偉人になれた。幼少時の教育は決定的に重要でスーパーロボ化はそれが狙いである。

プーチンや習近平、金正恩、毛沢東、スターリン、ヒトラーはどんな生育環境で育ったのか。オギャアと生まれた赤子の時から独裁者ではなかった。三つ子の魂百までと言うが生育環境が決定的に大事である。日本一の大事業家野武士浪平が育ったような生育環境をスーパーロボ導入で日本人の教育を大改革する。

文科省資料によると２０２１年教員数は19万人である。教員４万人を残し凡そ８割15万人を専門的かつ人として高能力のスーパー教師とスーパー教授に代える。教員年収１０００万としスーパー教師レンタル料１００万円とすると教育機関の人件費は１兆７０００億円節約されメカトロメーカーに３０００億円を支払う。

ご想像頂きたい。若者はスマホやＰＣになじんでいる。幼児保育所から大学院まで人間を超える高能力スーパー教師やスーパー教授と接するのである。このような環境から天才秀才が続出するのは至極当然である。

教師は失業かと心配無用である。人材をもっと高収入のソフト開発やその頭脳に相当する半導体開発にシフトする。日本は人手不足で、人材の成長分野へのシフトが必要不可欠である。

２０２１年12月20日、田中英壽日大前理事長が日大の取引業者からリベートなど１億１８００万円を申告せず所得税５２００万円を脱税したとして東京地検に起訴された。日大は21年５月現在で在学生11万7819名卒業生121万5千名日本一のマンモス大学である。教職員数7077名が在籍する。こども園や幼稚園から小中高専門学校大学大学院と日本一の巨大な教育機関で長年に亘り不正が行われた。次世代を担う教育の場が犯罪の温床になった。田中英壽理事長もスーパー教師やスーパー教授に本人に最適の教育を受ける生育環境に育てば高徳の人間になれた。

教師や教授に代わりスーパー教師、スーパー教授、スーパー経営者にすると全能「7C」の神の如き能力を有する教育者に学生の素養に応じ最高の教育を受けることになる。これが日本全国に及ぶのでその効果は計り知れぬ。日本を新文明国に進化させる魔力を秘めている。

ITソフトを注入する半導体市場は湯之上隆（微細加工研）によると2020年4125億ドルが10年毎に1125億ドル上昇し2050年7500億ドルから1兆123億ドルに拡大する。同じ勢いで半導体製造装置も市場が拡大する。この分野は慢性的人材不足となり高年収となる。低生産性の看護や介護をスーパーロボで高生産性化し高年収高生産性の分野へ人材シフトする。

FNNプライムオンラインによると米国ITソフトサービス市場は2019年1176億ドルが2028年1748億ドルと拡大する。IDC Japan（2021年2月）によると日本のITサービス市場は2020年5兆6834億円が2025年予測は6兆4110億円に拡大する。ITソフト開発分野がこれからの主力産業になる。

教育改革により日本から才能と人間性に優れたＩＴソフトの天才秀才が量産される。ひと昔前日本は技術立国と言われたがこれからはスーパーロボ立国である。

このために政府は戦略的に方針を固め、法律を整備し資金を投入する。警察、消防、自衛隊は国を守り国民を守る重要な仕事で官営である。これで金儲けなど考えてはならぬ。災害対策や人命救助は命の危険が伴う。人間に代わりスーパーロボが任務を完璧に果たすことができる。

未来社会では生身の人間はスーパーロボを管理し実働はすべて優秀なスーパー警察、スーパー消防、スーパー自衛隊が活動する。国際社会にはいまだにロシアのプーチンや中国の習近平のような恐ろしい独裁政治家がいる。ならず者に対抗するにはスーパーロボ以外の方法では不可能である。スーパーロボを活用すると防衛力は10倍にできる。早くスーパー防衛力を強化せよ。

２０１９年時点で日本の裁判官は２７７４名、検察官１９７６名、弁護士４万１１１８名。人間が同じ人間を裁いてよいのか。本来なら犯罪人を裁くのはエンマ大王か、神の仕事ではないか。裁判官や検察官、弁護士の半数を減じ1割のスーパー裁判官、スーパー検察官、スーパー弁護士に置き換える。スーパーロボは人間裁判官の誰より有能で公平である。検察官や弁護士も同様で裁判にかかる費用も安くスピード決着が付く。

総務省統計によると２０２１年国家公務員64万人、地方公務員２７５万人である。この公務員をもっと能力がはるかに高いスーパー公務員にシフトする。

公務員は税金で賄われる。国と地方の合計３４０万人も税金で賄う。ここにスーパーロボを導入し生産性を上げる。40万人はリーダーとして残し３００万人をスーパー化すると20兆円人件費が節約される。代わりに能力５倍のスーパー公務員60万人を導入すると６０００億円をメカトロメーカーに支払う。政府地方の人件費節約は23兆４０００億円となる。

何度も言うがこれは公務の質を高めスピードを上げ犯罪や違反を減らすためである。ソロバンとコンピューターとどちらが正確で速いか、結果は明らか。余剰人材は先述の通り高年収高生産性のＡＩソフト開発やその容器となる半導体開発にシフトする。

総務省統計によると銀行証券など金融業に１５９万人が働いている。このうち59万人をリーダーとして残し１００万人をスーパー金融マンに置き換えると人件費節約は年収１０００万とすると10兆円となる、20万台のレンタル料支払いは１台２００万として４０００億円となり差し引き９兆６０００億円節約となる。業務スピードと精度は最高レベルとなる。人が介在するとヒューマンエラーが発生する。スーパーロボは信頼度が上がりスピードが増す。

ご理解頂きたい。コンピューターの発明が人類社会をどれほど進化させたか。ＰＣやスマホの発明でどれほど人々は便利になったか。スーパーロボはその延長の究極の商品である。人間以上の思考力を有する全能の神の如きメカトロ製品を創成しアマゾンのごとく破壊的生産性大革命を起こすのである。

経産省資料には製造業従業員は卸売り４００万人小売り７００万人飲食業２００万２千人となっている。ＪＩＬＰＴ（労働政策研究・研修機構 The Japan Institute for Labour Policy and

・Training）の統計では平成15年ホテル従業員14・５万人旅館従業員21・６万人となっている。どこも高齢化で人手不足に悩んでおり廃業するところも多い。ここにピカピカのスーパー従業員が現れたらどうなるか。スーパー従業員は百カ国語ペラペラである。勤勉礼節「７Ｃ」は神のごとく万能である。人に愛され好かれしかも尊敬され給与不要となる。革命的生産性向上がなされる。日本の医療介護や産業のスーパーロボ化を見学に来る外国人が後を絶たぬ。観光収入が倍増する。

神のごとき「７Ｃ」を有するスーパーロボを開発。これを用いて人口減少少子高齢化の日本を救うのである。簡単でないことは誰でも分かる。とても個人や一企業でできるものではない。法律や規制も変えねばならぬ。政府はじめ関連業界や学会も協力し国策プロジェクトとして国をあげて開発せねばならぬ。

もう一度言うと人口減少少子高齢化で衰退に向かう日本をスーパーロボで生産性を10倍上げる。このスーパーロボは必要に応じ量産可能でその能力は神に近い全知全能である。この人工新人類を日本の国策プロジェクトで開発する。労働生産性を10倍上げる。人工新人類は神のような高能力を有しその品格は人間を超える。

この有能で高尚な精神を持つ人工人類が日本の医療介護を助ける。明るい未来が開けるのは当然である。

教育機関は次世代を担う幼稚園から大学まで人間形成の場である。ここに最優秀の教師スーパーロボを導入する。高尚な人間形成ができない方が不思議である。

国家公務員、地方公務員合計３４０万もいるがここはグローバル競争にさらされたトヨタやホンダのような競争社会ではない。前例主義・横並び主義・お上主義で慣れ切った公務員は税金でまかなわれる。市場独占の医療介護業界と同じである。

ここにスーパーロボを大量に導入し業務改革を進める。スーパーロボは最優秀能力を持ち24Ｈフル稼働する。生産性は10倍上がる。政府には借金しかないが民間と企業にカネが冬眠している。先述の通り民間資産２０００兆円企業留保金５００兆円ある。これを眠らせておく手はない。

4 ハイブリッド新文明が世界を変える

和製ベンチャー王浪平が明治に創業した電機事業は欧米に始まる動力革命であった。

令和の産業革命は日本発スーパーロボ革命である。動力革命は西洋の島国英国に始まったが対照的にスーパーロボ革命は東洋の島国日本から始まる。日本の人

ハイブリッド新文明が世界を変える

空にスーパー宇宙ロケット、スーパー人工衛星、スーパー空飛ぶ車、スーパードローン、地上にスーパー高速鉄道、海はスーパー高速船舶。人口減少する日本に救世主スーパーロボ出現。24H不眠不休無食無給でフル稼働。ブルーカラーホワイトカラーに代わり人々を助ける。人間はリーダー役で年収増。研究や開発に従事。余暇は文芸、スポーツ、観光、宇宙旅行。日本は観光客や視察団が倍々増。全能の神の如きスーパーロボと共存共栄のハイブリッド新文明が世界を変える！

口減少は災難である。浪平の事業哲学「災い転じて福と成す」を忠実に実行する。災難を次の発展の契機とする。時代の流れが日本に災難を齎した。災難を次世代開発の契機とせよ。

スーパーロボは頭脳明晰、勤勉礼節、人の特長である知情意において全能の神の如しである。スーパーロボはブルーカラーやホワイトカラーの5倍10倍の能力を有する。

日本はスーパーロボと人々が共存共栄するハイブリッド社会となる。スーパーロボは人よりはるかに優秀であるがスマホ同様にメカトロマシンであり自分で責任をとれぬ。そのため人はスーパーロボのリーダーを務める責任者となる。

こうして日本にハイブリッド新文明社会が生まれる。スーパーロボは量産可能で需要に応じ量産できる。人口減少しても労働力は増強可能でGDPも人口減少しても成長する。人類社会に大革命が起きる。これくらいのことをしないと日本の少子化は止まらず国家の生産力も飛躍的に上がらぬ。

スーパーロボは犯罪や事故虐待や紛争戦争を減ずる。社会を進化させる驚異の魔力を有する。通常人は泥棒や強盗など犯罪を起こす不審者を予知することはできないがスーパーロボは瞬時に不審者を見つけ連携して追跡し犯罪を予防する。交通事故、殺人、強盗、強姦、虐待、賄賂、窃盗など神の如き能力を持つスーパーロボにすべて見抜かれる。その前にそもそも犯罪を起こす人間はハイブリッド社会では生まれてこない仕組みになっている。それは教育にスーパーロボが登場し人間の生育環境が劇的に進化するからである。

教育は未来の人類社会を創る。ここにスーパーロボを導入し幼稚園、小中高、大学すべて無料化。生徒の素質に応じスーパーロボがベストのカリキュラムを提供する。先生も教師も教授も全能の神の如きスーパーロボである。

幼稚園から大学まで個性や素質に応じて神の如きスーパーロボに教育を受ける。朱に交われば赤くなるがスーパーロボによる幼少時から大学まで個人の素質に応じ１００％最高の生育環境がすべての日本人に無償で提供される。浪平の如き大事業家の卵も続々生まれる。多種多様な天才や名人が続出する。

偉人、天才、英才、名人と崇敬される人材は例外なしに幼少期非常に厳しい道程を経ている。発明王エジソン、ヘレン・ケラー、野口英世……小平浪平……例外はない。

スーパーロボ教育ではこの厳しい道程が幼児の素質に応じて全員に与えられ幼児全員が天才、英才、名人の卵に成長するのである。

この人材たちがスーパーロボと共存共栄するハイブリッド新社会が生まれる。世の中がどう変わるか。これまで見たこともない高度に進化した新文明社会が生まれる。こうして日本社会は世界のモデルとなるのである。

スーパーロボは全員が英語、フランス語、ドイツ語、スペイン語などなど１００カ国語ペラペラである。その特長７Ｃは神の如く気高い。スーパーロボは医療介護の分野に革命を起こす。医療費を劇的に改善し病院や診療所を花が咲いたように人生の楽園に変える。

スーパーロボと人が共存する世界初の新文明社会を見学するため海外から観光客や視察団が日本に押し寄せる。

日本のスーパーロボは世界の人々を幸せにする商品である。訪日人口は1億を超え世界中でスーパーロボを導入しようと問い合わせや注文が殺到するが不良品納入は厳禁する。世界の国々に日本に対する信頼を売る。注文案件毎にフィールドテストを繰り返し完全なスーパーロボを世界に納入する。日本という平和な国の信頼を世界に広げるのである。

世界の国々は歴史と地域によりそれぞれの国民性を有する。国民性に応じ国民に愛され尊敬されるようにスーパーロボの「7C」をアップデートする。国毎にバージョンが異なるのも当然である。

スーパーロボは世界を変える魔力を有する。全能の神のごとき「7C」を持つスーパーロボは人々に愛され尊敬され幸せを分配する。

スーパーロボは特長7Cを有する機械でこれがスマホや乗用車との相違点である。スーパーロボを導入すれば人々も国家と同時に先進文明人に進化する。スーパーロボはこの驚異の魔力を有し世界の国々を平和で繁栄する国に変える。

ハイブリッド新文明では肉体労働も頭脳労働も大半はスーパーロボが行う。人の仕事はスーパーロボのリーダーや研究開発や半導体やその製造装置や検査装置、素材や部品の研究開発、ソフトウエア開発など高年収化しこの分野もスーパーロボとの共同作業となる。

西洋に始まる化石文明は石炭、石油、天然ガス、地球に眠る有限資源を浪費しCO_2温暖化で気候変動を起こし廃棄物で環境を汚染した。

これは災難である。災難を次の発展の契機にする。

ハイブリッド新文明では先述の通りあらゆる物がネットでつながる。建物、道路、航空機、人工衛星、ロケット、車、家電品、船舶、衣類、宝石、食料、ミサイル兵器、核弾頭……先述の通りハイブリッド新文明はムダとロスを最小化する。時間のムダとロス、資源のムダとロスを最小化し効率を最大化する。日本は領土も狭く資源もないがヒトモノカネを最大限に活かすハイブリッド新文明が日本で始まり世界に拡大する。

新文明の世界。宇宙にはスーパー人工衛星、スーパー宇宙旅行船、スーパー高速航空機、スーパー空飛ぶ車、スーパードローンが飛び交う。地上はスーパー高速鉄道、スーパー高速道路、海上はスーパー高速船舶が出現する。

人間の運転手や操縦士はヒューマンエラーを起こす。飲酒運転や居眠り運転が起きる。

運転は正確無比の安全運転である。

地上では日本はイーロン・マスクが消えてなくなると警告した東洋の島国でハイブリッド新文明が開化する。日本は世界最新の平和で豊かな活力に満ちた文明国になる。

この新文明は化石文明によるCO_2温暖化の気候変動と人口減少というダブルの災難を「災い転じて福となす」和製ベンチャー王浪平の遺訓に従って災いを福となした結果である。

日本は高齢化による医療費増大を食い止め病院や介護施設は花が咲いたように明るくなる。

スーパーロボ教育により日本の子供全員が幼稚園から小中高大学まで授業料無料となり子供の素質に応じカリキュラムを作成し最大限に１００％子供の才能を生かす教育が始まる。

ハイブリッド社会ではこのスーパーロボに対し人間はリーダー責任者の役目を果たす。人間の仕事は重大であり怠けてはおれぬ。

次期ハイブリッド社会は日本人が冬眠から目覚める社会である。毎日勉強し努力しないとついていけぬ。

日本の１人当たりＧＤＰは生産性が倍々増し世界一となる。余暇が増え観光旅行や宇宙旅行外国旅行が増える。グローバルな物流人流が増える。

文芸スポーツ分野も非常に盛んとなる。国際試合も増える。文芸スポーツの全分野でスーパーロボと人間の共存共栄が始まる。新記録が次々と生まれる。

例えばプロ野球の打撃コーチをスーパーロボに頼むと選手の欠点弱点を一瞬にして見抜き最適のアドバイスを送る。なぜそれができるか。打撃に対するビッグデータで選手の個性に応じ科学的に最適のアドバイスができるからである。

野球や相撲やゴルフ、音楽、絵画、ダンスなどなどビッグデータを分析し科学的に個性に応じてアドバイスできるスーパーロボはまさに人類に新文明をもたらす。

スマホは世界中で毎年20億台売れている。世界中でスマホの稼働台数は１００億台を超える。

車は毎年1億5千万台売れる。世界中に凡そ15億台が稼働している。

スマホや車の稼働数から予測するとスーパーロボの世界販売台数は毎年1億〜1億5千万台が見込まれる。世界稼働数は10年すると10億台が世界で稼働することになる。レンタル料年1万ドルとして売上は10兆ドル。1ドル１００円とすると１０００兆円。ドル１５０円では１５００兆円となる。驚いてはいけない。前章、前々章に述べた通りスーパーロボ導入により莫大な生産性向上と経済効果を発揮する。スーパーロボは開発途上国や貧乏な国々を高速度で文明化する驚異の魔力を有する。

スーパーロボは先述の通り人の5倍10倍の働きをする。レンタル料金は安すぎるくらいである。神の如き「７Ｃ」を有するスーパーロボに日本人の世界平和への願いが込められ勤勉礼節情け深く親切で人を思いやる心が込められる。世界の人々がスーパーロボと共に活動することにより感化され勤勉礼節で謙虚な人間に成長できるように日本人のハートを注入する。スーパーロボを世界に広げ世界の国々を平和で幸せにする。最終的に人類は1人で1台スーパーロボを人生のパートナーとして持つようになるだろう。つまり、全能の神を自分のパートナーとする時代が来るだろう。世界の稼働台数は１００億台の時代が来る。市場規模はドル１００円として一京円である。現在のＧＤＰの20倍となる。

スーパーロボの海外拡大には国対国の通商安保条約を締結する。テロ国家のような国には輸出も現地生産も不可である。人権蹂躙、虐殺や拷問、軍事力による侵略など非人道的行為を行う国には輸出を厳禁する。量子コンピューターでさらに大容量高速化しブロックチェーン化し量子暗号化してセキュリティを無限大化する。

日米欧三国同盟を締結しカナダ、豪州など先進国にスーパーロボを普及拡大する。次に中南米諸国、アフリカ、東南アジア、南太平洋諸国に拡大する。スーパーロボは世界を変え幸せにする驚異の魔力を有する。

人類社会に破壊的な革命をもたらすスーパーロボは世界GDPを倍増する驚異的破壊力を有する。破壊的イノベーションという意味である。２０１９年世界GDPは85・9兆ドル、日本円でドル１４０円とすると1京２千兆円である。これを倍増すると2京４千兆円、10倍すると12京円となる。世界の人口減少は25世紀頃まで続くと予想される。日本発ハイブリッド新文明はこの間５００年、次々と人口減少を起こす国々の強力な最強のキーテクノロジーとなるのである。

日本は古代から和を以て貴しとなす平和を愛する神々の国である。これをスーパーロボが実践する。日本発スーパーロボは日本を救い世界を変える。日本の使命は重大である。

5 成功確率１００％国策プロジェクト

国策プロジェクト開発資金はもう国債の発行はやめ、債務増は政府の信頼を失うだけである。その代わり民間と企業に眠る２５００兆円を有効活用する。民間資産の０・５％10兆円を「スーパーロボファンド」にご投資頂く。２千兆円の資産の大半は東京名古屋大阪福岡仙台札幌横浜など都市部に住む富裕な高齢者のフトコロで眠り続けている。企業幹部を退職した老人や自営業を次世代に譲渡した老人であろう。あの世まで資産の持ち逃げは不可能である。子々孫々のため日本再建のためスーパーロボにご投資をお願いする。営業担当は土下座して10兆円カキ集めよ。これは民間資産の０・５％である。10兆円は年収1千万のソフトウェアエンジニア千人を千年雇用する金額。最初の一歩は60人５年の30億円で間に合うと推測する。余裕を持たせるのは戦争と同じで日本の存亡

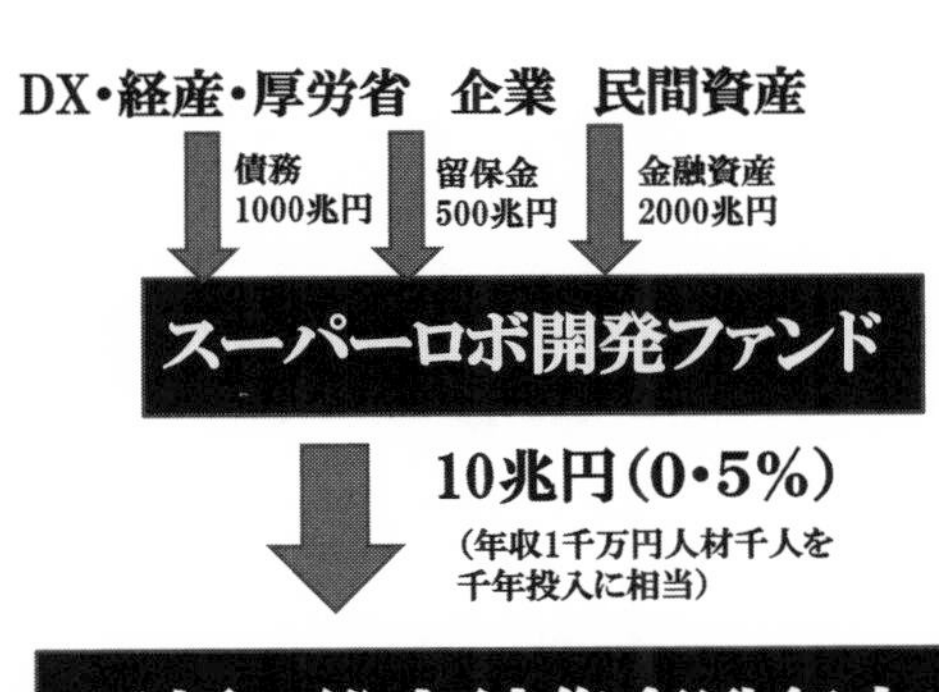

をかけており途中でできませぬは許されぬ。成功しかあり得ぬ。国運隆盛のため何としてもやり遂げねばならぬ。最強ベンチャー野武士浪平は何度もこのような大リスク大リターンの開発に挑戦し全戦全勝した。どうやってそれができたのか。優秀な社員全員が目標に向かい突進する火の玉集団を創成した。戦争も企業も国策プロジェクトも同じ。全員が目標に向かい突進する集団を創ればよい。浪平は不可能には挑戦せぬ。

スーパーロボ開発は日立の歴史にある水電解槽の開発と同じである。試作を繰り返し目標に達するまで何回でも試作し、血の汗が出るような苦闘があろうが、こうして開発した製品がホンモノである。

日本医療のように高価な医薬品や医療機器を外国から購入し出来高払いで年収を稼ぐやり方では世界に冠たる世界一の医療はできない。奮励努力が血となり肉となる。このプロジェクトを成功に導くため最大の課題は国と業界、団体、学会、メディアが火の玉となり目標に向かい邁進する体制作りである。

日本にその前例がいくつもある。蒙古襲来では博多湾で国と民がひとつになり戦い最強蒙古軍を撃退した。日清戦争、日露戦争も相手は東洋と西洋の大国であるが国と民が火の玉となり奮励努力し勝利した。

現在人類は化石文明の副作用で地球温暖化の対策に全世界を挙げて取り組んでいる。気候変動が毎年豪雨被害をもたらすからである。人類は必ずこの課題を解決すると断言できる。それは世界中がこの課題を共有し温暖化防止に知恵を絞り奮励努力しているからである。

世界人口はまだ増えており化石文明の副作用は地球全体に及ぶ。そしてやがて世界人口も減少が始まり25世紀頃最小になると予測される。

日本のスーパーロボによる人口減少対策はこれから起きる人口減少国のモデルとなる。日本のスーパーロボ革命を世界に輸出し世界の国々を助ける。日本の一人当たりＧＤＰ世界一の３倍化は容易に可能である。最終的には勤勉礼節情け深い有能な魂を注入したスーパーロボ10億台を世界１５０国に輸出または海外生産しレンタル料１万ドル売上10兆ドルを稼ぎ戦争のない平和な世界を実現する。

野武士浪平の遺訓を実現するのは我々日本人の責務である。本著を日本の総理大臣ほか政府要人に謹呈奉る。世界一の自動車メーカの最高責任者ほか主要な大企業経営者と関連団体幹部に献上奉る。

第2編

厳しい生育環境が和製ベンチャー王を育てた

1　坂東武者の遺伝子

明治の関東平野、下都賀郡家中村合戦場にいかにして大実業家が出現したのか。

アメリカの発明王、ＧＥ創設者エジソンは小学校に入学し先生を質問攻めで困らせた。粘土をこね団子を二つ作る。団子を二つこね合せると１個になる、１＋１＝１である。先生は１＋１＝２と教える。先生の言うことが解らぬ。このような質問を次々発して先生を困らせたエジソンは退学し小学校に行かず母親ナンシーが教師を務めた。ナンシーはエジソンと一緒に考え実験しエジソンの質問に解を見つけた。エジソンは耳が聞こえないがそれも実験に集中する長所にした。エジソンは

小平浪平の生家

出典『栃木市の偉人』

佐野市葛生の願成寺に謡曲『鉢の木』で有名な佐野源左衛門常世の墓所がある。質実剛健質素倹約、情け深い浪平には坂東武者の血が流れる。

2万冊のノートに研究結果を残した。発明王エジソンを育てた張本人は母親ナンシーである。大実業家にも大偉人にもその陰に偉人を育てた偉人がいる。

耳が聞こえぬ、目が見えぬ、口がきけぬ、三重苦のヘレンケラーを大偉人にしたのは家庭教師サリバン先生である。大実業家や大偉人の陰には必ずそれを育てた影武者がいる。素質があっても無人島で成長すれば偉人は育たぬ。

ベンチャー王浪平の幼少期の生育環境を探求する。


天保12（1841）年　浪平の父大沢惣八が生まれた。この年老中水野忠邦の天保の改革。

嘉永6（1853）年　母チヨが生まれた。この年浦賀にペリーが来航。

明治3（1870）年　惣八小平家に婿入りチヨと結婚。この年東京・横浜間に電信が開通。

明治4（1871）年　長男儀平誕生。政府は廃藩置県を断行。

明治7（1874）年　次男浪平誕生。

＊　＊　＊

合戦場の小平家より十数キロの佐野市葛生の願成寺に「いざ鎌倉」で有名な佐野源左衛門常世の墓所がある。いざ鎌倉は武士道の原点である。かの有名な『鉢の木』は謡曲や教科書に出てくる。大雪の夕暮れ旅の僧が一夜の宿を求めた。家は貧しく暖を取る木がなくなると家の主は大切にしていた松、梅、桜の鉢の木を折って火にくべ客をもてなした。主は佐野源左衛門と名乗った。

「一族の所領をだまし取られ零落したが武具と馬は残してある。自分も武士の子、いざ鎌倉と言う時は一番に馳せ参じ命をかけご奉公する覚悟である」と旅の僧に言上した。その後、鎌倉で一大事との報に駆け参じた常世の前に現れたのはあの時の旅の僧、実は鎌倉幕府執権北条時頼であった。常世の本領36カ郷を返し鉢の木に因み上野松井田、加賀梅田、越中桜井の所領を与えた。

＊　＊　＊

『姓氏家系大辞典』（太田亮）によると佐野氏の拠点安蘇郡（現佐野市）に常世から7世後裔の伊豆守常行の子若狭守宗行が同郡小平郷に居住し、小平姓を称え、初代の古河公方たる足利成氏に仕えたがその係累は慶長年間に途絶えている。小平家は佐野氏の凋落により皆川氏に仕官し合戦場に移住したようである。皆川氏と宇都宮氏が戦った川原田合戦の地が現在の合戦場。戦前栃木町町長を務めた長谷川調七の先祖は皆川の家臣であり家紋が小平家と同じである。

兄儀平の最初の妻チカは調七の姉である。小平家は明治の廃仏運動により惣八より4代以前の家系が不明であるが浪平の父惣八より4代前の惣八は源政之、3代前の婿養子佐右ヱ門は源弘之、2代前婿養子儀兵衛は源清之、1代前の先代惣八は源利之、浪平の父婿養子惣八は源重之の源氏名を有する。

坂東武者の小平家は主君佐野氏の没落により16世紀の初頭に皆川氏に仕官し、現在の栃木市都賀町合戦場に移住したと見て間違いないようである。坂東武者は奈良平安時代から活躍している。武士たちは遠く九州筑紫太宰府に赴いて防人として国土防衛に当たった。

関東から赴いた坂東武者は質実剛健、質素にして命を惜しまず勇猛な一方で情け深く律儀で忠孝を尽くす日本人の鑑である。後年大事業を成し遂げた浪平には坂東武者の血が流れている。

群馬、栃木は冬になると上州のからっ風、栃木は日光おろしの寒風が土埃を巻き上げて吹き荒れる。肌を突き刺す冷たい風が人々の心身を鍛える。乃木大将は子供の頃泣き虫であったため母親が井戸水をかけ心身を鍛えた。

マッカーサー元帥は陸軍士官学校の冷水シャワーで心身を鍛えたがこの北関東はからっ風や日光おろしが人々の心身を鍛えた。このためこの地方の人々は古代から質実剛健、意志の強固な人が多い。

明治時代この地方出身の人物に足尾鉱山の鉱毒事件を明治天皇に直訴した義人田中正造、ソニー創業者の井深大など立派な人物が現れている。井深大の先祖は会津藩家老で親戚には飯森山の白虎隊で自刃した井深茂太郎がいる。ソニーの井深大にも脈々と武者の血が流れている。

小平家は合戦場で山林田畑十数町歩を有する素封家であった。父親惣八は子供の教育に熱心で子供たちのために四書五経、『史記』、『左伝』、『文章軌範』類を買い与えた。

明治13年浪平は合戦場の小学校淑慎学舎に入学したが、18年６月栃木小学校に転校した。父惣八が栃木町は県庁所在地だったので教育環境が整っていたと判断した為である。

この頃父の実家の大沢家に放浪中の村井弦斎が滞在した。村井弦斎は合戦場の小平家にも滞在し浪平は『文章軌範』の素読を受けた。村井弦斎がまだ世に出る前であるが弦斎は後年小説家、ジャーナリストとして有名になり道楽シリーズ『食道楽』が大ベストセラーとなり月々出版社から３千円が弦斎の口座に振り込まれた。今のカネで月々３０００万円くらいか。このカネで弦斎は莫大な財産を築いて平塚に１万６４００坪の土地を購入し家屋を新築し農園や牧場を作り食の研究を続け優雅な暮らしを楽しんだ。

１９０1年1月『報知新聞』が村井弦斎の「20世紀の予言」を掲載した。その中には無線電信電話、遠距離写真、野獣の滅亡、７日間世界旅行、暑寒知らず（エアコン）、買物便法（ネット販売）、電気の世界、自動車の世などがある。これらの予言は大半実現しているが浪平は少年時代にこの20世紀を予言した天才に『文章軌範』の教授を受けた。後年浪平は自分の専門分野を決めるため村井弦斎に相談した。そして電気工学専攻を決めた。

栃木小学校へ転校した浪平は放課後に漢学の先生の下宿に通い『史記』の素読を受けた。20年栃木共立英語学校が設立されこの学校にも通学した。小学校、英語学校、漢学塾と毎日特訓を受けた。

質実剛健、勇猛で意志強固な武者の血が流れる浪平が幼少から高尚な学問の素読を受けている。村井弦斎は天才である。隣家の鼎老人も漢学の造詣が深い。浪平は幼少時から超一流の人物に講義を受けた。

浪平のため兄儀平が選んだ東京英語学校の校長は昭和天皇の侍講として高名な杉浦重剛で質実剛健、日本人の魂を鍛えた校長である。数学を至誠学舎で個人教授を受け、漢学は著名な漢学者蒲生重章から『史記』の講義を受けた。浪平は門前の小僧が習わぬ経を読む如く高度の特訓を幼少時に受けた。この少年時代の猛特訓が大事業家の下地となった。

人間は発育盛りの幼少期に栄養豊富な食事を十分に摂ると身長が見違えるほど伸びる。スキャモン発育曲線による人間の頭脳・神経・視聴覚・感覚は幼児期に急成長する。天才が幼少期に特訓を受けるのはそのためで小学校からでは遅い。天才科学者や事業家や経営者を目指すなら2歳3歳から特訓する。明治時代であり惣八とチヨにスキャモン発育曲線の知識などある筈もないが幼少の早い時期に長男儀平と次男浪平に漢書の素読をさせている。これは決してムダではなかった。

浪平は子供の頃ガキ大将で近所の子供5〜6人を集め庭に筵(むしろ)を敷いてよく遊んだ。何時も近所の子供が斬られ役であった。浪平に斬られバタバタと倒れると浪平は刀を振り上げ見栄を切る。祖母のヨシは浪平を非常に可愛がった。浪平はケンカも強くしかも賢い子であった。ある夏昼寝から覚めた浪平が洗濯物を畳んでいる祖母に「今、いい夢を見たよ」と話しかけた。

「朝日が昇り周りが金色に輝いていた。僕は陸軍大将の軍服を着て沢山の兵隊の指揮をとっていた」と言った。

祖母ヨシはウンウンと頷いて「お前はきっと偉い人になるよ」と喜んだ。祖母ヨシは浪平の天性を早くから見抜いていた。この祖母は南川連の農家大豆生田家の出であった。夫の先代惣八は江戸から宇治茶を、甲州からブドウを取り寄せ、温泉に行く時は家族と一緒に力士を連れて行き、チヨはその背に乗り山越えをした。

先代惣八は伊勢参宮の道中日記を残しておりかなり学力があった。先代惣八とヨシには三女があり長女節と次女八重は他家に嫁ぎ末子のチヨに大沢家から惣八を婿養子に迎えた。

大沢家は栃木町城内の商人で庭が千坪あり池に２尺を超える緋鯉が泳いでいたというから惣八は相当に富裕な商人の坊々である。大沢家は四男あり長男は家を継いだが妻子を家に残し妾宅に住んだ。次男は陶器商。三男が惣八で最初茨城県古河町の造り酒屋佐藤家に養子に入り、二女をもうけたが、事情があって離婚させられた。29歳の時、二女を連れてチヨと再婚した。長身痩型で筋骨隆々ではなかった。昔のことで寺子屋以外には教育を受けなかったらしく教養が高いとは言えなかった。

野心家で事業意欲はあったが何をやっても失敗した。山林業にも手を出して失敗した。石炭鉱山にも投資して失敗した。水車を使って白粉製造もやった。

浪平が13歳になった頃惣八は船底用塗料鉛丹の製造を始めた。鉛を鍋で溶かし加熱すると酸化鉛の赤い粉ができる。納屋を改造し炉を築いて職人も雇った。鉛を東京から仕入れ燃料は自家の山林から得た薪を使った。動力には水車を利用した。しかしこれも1〜2年で廃業した。事業を続けるには原価を計算しソロバンを弾かねばならぬ。船底塗料は貝類が付かず錆止め効果があると言うが何年くらい寿命があるのか試験して確認せねばならぬ。

さらに栃木の巴波川は利根川経由で江戸との水運が行われたがこの頃になると水運は鉄道に代わり寂れていた。鉛丹製造は時代遅れであった。惣八は巨額の負債を抱え最早挽回すべくもなかった。さらに大きな問題があった。鉛丹による健康被害、鉛中毒である。

鉛丹を通常の物質と同様に取り扱うと鉛丹摂取を避けることは困難である。惣八は日光おろしが吹き荒ぶ明治23年12月25日、儀平と浪平の修学を続けるようにチヨに遺言し48歳で急逝した。

2

他日の計謀為さざる可からず

惣八の早逝により小平家は不幸のどん底に落ちた。37歳の未亡人チヨに遺されたのは借金の山と７人の子供たちであった。

子供たちを何としても育て上げねばならぬ。借金は返済せねばならぬ。さすが先代惣八が後継を託したチヨである。20歳長男儀平は第１高等中学生であり17歳次男浪平は東京英語学校に遊学中で４歳下の長女満舞、その３歳下に三男陳平、その３歳下に次女梅、その３歳下に四男勲、末子八重は数え２歳である。

山積する借金を返済し幼子たちを育て上げねばならぬ。チヨは長男儀平に相談したが名案などなかった。

浪平の慈母チヨ

小平家提供

父惣八が早世し37歳のチヨに遺されたのは借金の山と７人の子供たち。チヨは不幸のどん底に落ちたがそこから這い上がった。長男と共に辛苦を乗越え子供たちを育て上げた。東京に遊学する浪平は家族全員の希望の星であった。

儀平は第1高等中学を続けたいという。チヨは親戚を集め親族会議を開いたが結論は同じで儀平に退学を勧告した。儀平は医学の道を遂に翻意せざるを得なかった。

しかし弟の浪平だけは何としても大学まで行かせねば……と決意した。長男とはいえ青雲の志を持つ若者である。

この後儀平は第41国立銀行に入行し最下級事務員として働くことになる。働き出して7年目の明治31年月給は16円だった。自分の望みを捨て弟妹たちのため母のチヨを支え働く決心をした。チヨは寝る暇も惜しみ身を粉にして働いた。5～6人の男衆を雇い製茶業を始めた。養蚕もやった。茶袋は柿の渋を塗り自家製にして経費を抑えた。子供たちも仕事を手伝った。働けど働けど猶我が暮らし楽にならざり……啄木の歌がある。働かねばならぬ。

惣八が石炭山に投資した件で福島裁判所から呼び出しを受けた時、儀平はひと言も不平を言わず長男の義務を果たした。

浪平は長兄の犠牲に甘んじる気は毛頭なかったが母と長兄は彼の就学辞退を聞き入れなかった。以後10年間、母親チヨと長男儀平は浪平の生活費と学費を送り続け弟妹を立派に育て上げた。母親チヨと長兄儀平は家族の期待を受け東京で勉学に励む浪平に家計の苦しさなど余計な心配をさせぬように浪平に話さなかった。ある年、家族の越年資金に山林の木を売りやっと50円を手にした。これで家中お正月が越せると楽しみにしていた所へ偶々浪平が帰ってきた。

儀平は困った顔もせずその50円を学資として渡した。しかしその後正月が越せぬと家中泣いたとチヨは後年孫の知二に語った。とにかくその頃は家中一丸となって浪平を励ました。浪平は兄儀平や母チヨに直接言われないが家計の苦しさはひしひしと感じた。東京で大学を目指し勉学に励む浪平は弟妹達の希望の星であった。それ以上に母チヨと兄の儀平は浪平に小平家の再興を切望した。

浪平に最も大きい期待を寄せたのは祖母ヨシである。ヨシは浪平に将来は陸軍大将か、総理大臣かと天性の才能があると見込んでいた。

父惣八の早逝は東京でのんびり遊学を楽しんだ浪平に強烈な衝撃を与えた。学業成績も優秀で向学心があり医師の道を志した長兄が母を助け弟妹たちを育てるため自らの道を断念した。野心家で事業意欲も盛んな父は次々と事業に失敗し世間の嗤い者になり最後は事業の失敗で命まで落とした。

父の無念を晴らし母上と長兄のご恩に報いるため世界的大事業に成功しなければ。浪平は強気であった。悲しんでいる暇はなかった。

浪平の帰郷を家族全員が待ち望んだ。東京留学は今で言うなら外国留学に等しい。祖母ヨシと弟妹たちは浪平の土産話を期待して待っている。

母親のチヨと長男儀平は浪平に学資の心配をさせぬようこっそり質屋に通うこともあったが気持ちよく浪平に学資を渡した。浪平に渡す学資が滞ったことは一度もなかった。

父の死に強い衝撃を受けた浪平は明治24年1月上京し再び英語学校に通学、今年は何としても第1高等中学校に入学すると決意した。

浅草代地の祖父の妹平井リツ家の2階6畳で勉強を始めた。ただ浪平も身体があまり丈夫ではない。妹満舞も弟陳平も病弱である。浪平は英語学校のボート会に入り、日曜は散歩や遠出で身体を鍛えた。

浪平は前年7月長兄に勧められ兄と同じ第1高等中学を受験して失敗した。父の死の半年前でその頃は合格するより帰郷する楽しみの方が大きかった。

上野から汽車に乗り小山で宇都宮から帰る父にバッタリ出会い試験の結果を話したが父は怒るふうでもなく一緒に家へ帰った。しかし小平家の事情を考えると今年はもうノンビリしておれぬ。浪平は勉強に熱を入れた。

明治24年7月全国から秀才が集まる入学試験で受験者1200余名、合格者70名中7番の成績で第1高等中学校に見事合格した。

生涯で一番嬉しかったのはこの時で天下を取った気分であったと浪平は後年述懐している。浪平は郷里で結果を待つ祖母、母チヨや長兄儀平の期待に沿うことができた。

弟妹たちの喜ぶ顔が眼に浮かんだ。天国の父上に良い報告ができた。入学試験は3回行われ2回まで無事すんだことを郷里に知らせたが最終合格したことをまだ報せずにいた8月6日、家から手紙が来た。

「無事合格したのか。その後知らせがないので心配している……老母が今月上旬より病気で危篤の状態であるが貴方を煩わすことを恐れ今日まで知らせずにいた。ご用済み次第至急ご帰郷下されたく」

浪平は心臓が止まるほどの衝撃を受けた。浪平をあれほど可愛がった祖母が危篤である。あの悲報は余の胸中に的中し千金の砲丸より心胆を苦しめたと浪平は記す。まさに錦を飾り故郷に帰らんとした時であった。満足と喜悦を載せる鉄車は涙と苦慮を載せる鉄車と化した。

浪平は直ちに帰省し祖母の枕元へ急いだ。

祖母は憔悴していた。すでに失明に近い状態で孫の顔を見ることができぬ。浪平は涙を堪え切れなかった。

「祖母さま、孫は今帰った。心を強く持ちなされ。そしてもう一度幸せな日を送られよ」と祖母を励ました。

眼を半眼に開き宙を見ていた祖母がようやく声を発した。

「死ぬ前にお前さまにひと目会いたいと思っていたが試験の最中と聞いて会うのはもう諦めていた」と言った。

「安心なされ、孫はまことに良い試験の結果を得た。他日お国のため何かをなす緒は開けた」

浪平は答えたが涙があふれ、止まらぬ。祖母は、

「まことに私の喜びこれ以上のものはない。浪平、よく聞け、お前は父をうしない兄に養育を受けている。真心あれば、自らを戒め、自ら計り、他日の計謀為さざる可からず」

幼少の頃から祖母は浪平を特別に可愛がった。やがて何時か浪平が動き出すと祖母は信じていた。浪平に会えた数日後祖母は安らかに永眠した。78歳であった。

死の間際に祖母は浪平を枕元に呼び言い渡した。

「絶対に女などに迷うてはならぬ。沼和田の某は東京に遊学し梅毒にかかり廃学して病臥しておる」と戒めた。

これが祖母の最後の言葉であった。浪平は生涯祖母ヨシが遺したこの言葉を守り通した。

祖母は天国から浪平の守護神となりこの大事業家を守り続けたのである。

＊　＊　＊

明治26年3月3日長兄儀平から届いた手紙に漢詩が綴られていたことを『晃南日記』に記している。

毎思曽游豈莫羇　夢魂夜々問帝閫
墨陀江畔花千朶　白子村頭月一輪
更老厳霜圧孤剱　春深短艇芳泛沢
数奇今日漫休笑　我亦当年得意入

訳すると、

曽て遊学した時のことを思う度に無念の思いに顔をしかめたくなる。夜毎夢に見るのは帝都のことである。

隅田川河畔には桜が咲き誇るが私が住む村の上には月がひとつかかるだけ。

ここでは厳霜が年経た私を圧する。春たけなわの川面にボートが浮かぶ。

不遇な私を笑わないでくれ。私も曽て得意の若者だった。

この詩の後に浪平は書いている。宇宙を呑むほどの大志も半途に破れ山海を覆す謀遂にならずして田園の一農夫となる。その意また思うべし。只之をして快ならしめ満足せしむは只我のみ焉。

長兄は中退し銀行の地方支店の下級職員となり仕事の合間に百姓をする。兄の詩は浪平に一層の奮起を促した。

長兄は自らの夢であった医学の道を断念し母を支えて弟妹たちを育て上げ父が残した借金を返済せねばならぬ。

その上に次男浪平を東京に遊学させその学費と生活費を送らねばならなかった。

浪平に兄者の無念さが痛いほど伝わってきた。この大恩に報いなければ生きている意味がなかった。何としても兄者に幸せになってもらいたかった。

＊　＊　＊

『晃南日記』の明治27年4月5日長兄婚姻の日は「千秋万歳」と当日の様子を次のように記している。

千秋万歳

花笑い鳥歌い霞たなびき実にのどけき春の季節、さらぬだに嬉しきは家兄の祝儀にぞある。何事も忙しく手も足も休む暇もなけれどただすべて目出度き事のみなれば慈母をはじめ疲れなど忘れ世話などする。

酒の池、肉の林、山のもの、海のもの、川のものなど丘なすばかりなり。来客には間中の伯父伯母、同小雪、供一人、金崎在住の五十嵐伯父伯母、同力、大沢貞司、その他親戚始め、組合近隣など百五六十名なりき。

夜7時頃花嫁御寮は静々と入り来ぬ。何事も古例前格のある事なれば、長々しき儀式をなすもひま取りて、12時をすぐる頃ようやく夜食となりける。すべて終りて栃木町の来客帰りたるは午前3時なりき。目出度し目出度し。

浪平は大恩ある長兄に幸せになってもらいたかった。

長兄が幸せになる。長兄とチカの豪華なご祝儀はこれほど目出度いことはなかった。

＊＊＊

第１高等学校４年の明治27年５月12日浪平は品川に村井弦斎を訪ねた。長兄や妹も結婚した浪平も20歳になり進路を決めねばならぬ。『晃南日記』に「訪弦斎先生」と当日の様子を記している。

訪弦斎先生

去年の吾れは早や今年の吾に非ず。此の紅顔明日は即ち白髪の人となる。歳月の流るるは矢の如しとは古人の言なり。其速なる事豈に啻に矢のみならんや。今日の書生又長く書生たるを得んや。

運動場裏に馳せ廻はりし此の呑気なる時代も、いつしか風波荒き社会とやらに出づるならんと知り始めし今日此の頃の気の忙しさ。思へば浮き世いやなりと謂ふものの如何にせん方なく、此の世に出づる手段とて先ず定むるものは目的なり。

此の目的吾れ定め得ぬには非ず。幼き頃より何となく好む工学を修めんものと思へども、偖て今日となりては何の工学を修む可きやは一問題なり。

火薬面白からず採砿、冶金も覚束なし。造家、造兵とて吾が好む所にあらず。されば造船、化学応用、機械、電気なんどは其の志す内なれども、何れを選ぶやに至りては其方法に苦しまざるを得ず。

尤も独断にて為し得ざる理由なきも、未だ年も長ぜず志想も熟せず、殊に経験と云ふ一大要素を欠き居れば、なまじいに独断して失敗せんよりは、寧ろ何となく先輩の意見を叩くに如かず。

先きに村井弦斎先生は古き知人にして、且つ世故に通ずる人なれば其意見を聞かばやと、学校の終るや否や馬車に乗り、汽車に乗りて品川の偶居に訪ふ。

先生幸に家にありて其意見を説き、今日の時勢と将来の気運及我国利上電気工業の必要を説き、世人の迷夢を覚破せざる可からざるを説けり。

余も深く其説に感じ且つ平常の素志なれば、其意見に従ふ事となしぬ。

談は四方山の話となり運動の話となり、遂には射的、弓術など為して充分の歓を尽して帰り、着寮したるは午後六時なりき。

折よく在宅中の弦斎は浪平を２階の客間に招き入れた。弦斎は当時『報知新聞』の新聞記者兼小説家として活躍中であったが明治36年には『食道楽』の大ベストセラーを出した著名の人物である。

弦斎は時代の趨勢と将来の気運、日本の国益上電気工学の必要性を説き世間の人々の迷夢を覚まさねばならぬと説いた。浪平もその見解に深く同感し従うことにした。

村井弦斎の見解は卓見であった。この頃ようやく電気が世の中に出たところでまだ庶民にはなじみが薄かったのである。

電話機はベルが明治９（１８７６）年に発明し、明治11（１８７８）年３月25日虎ノ門の工部大学に初めてアーク灯が点灯した。

電話はベルの発明から14年後の明治23（１８９０）年東京・横浜間に始まる。

明治23年東京電灯は電灯の説明書を作った。それにはガスや石油のように燃えるのではなくガラス球で包んだ炭素糸が光を発し油煙を出さず有害物質を出さないし臭いもなくマッチ不要どこへでも取り付け可能と説明している。

一般庶民はモーターや発電機など舶来品は見たこともなかった。

世界ではエジソンが明治14（1881）年世界初の白熱電灯事業を立ち上げ翌1882年ウィスコンシン州の豪邸に12・5kW直流発電所を建設した。

10年後明治24（1891）年世界で2番目、日本初の琵琶湖疏水蹴上160kW直流発電所が運転開始した。しかし1890年頃から欧米では電力システムとして直流と交流のどちらが良いか問題となりエジソンは照明の安定性と電動機の起動力が大きいことを理由に直流を主張し部下のニコラ・テスラは電圧を変え、効率よく送電できる交流を主張した。

テスラは1887年誘導電動機を発明しさらに明治28（1895）年ナイアガラの滝に世界初の交流水力発電所を成功した。これで交流の優位性が決定的となり交流発電の発展と共に直流発電は次第に消えていった。

浪平が弦斎に意見を求めた頃はまさに電気時代の夜明けであった。弦斎は『報知新聞』の「20世紀の予言」に無線電話と電気の世の到来を予言している。電気は日本を繁栄に導く大事業となるのである。産業用の動力に電動機、発電所、高圧送電、変電所、電気通信、電気鉄道、電気機関車など世界最先端の新分野であった。

浪平は自分でも電気工学に関心が強かったが村井弦斎の言葉で自信を深め電気工学専攻を決めた。浪平は晴々とした気持ちで鉄道馬車に揺られて帰った。

＊　＊　＊

しかしまた明治28年1月6日の日記に次のように記している……。

自分は常に一家の有様を思いまた自分が強健でない事を思うと時に天を仰いで無限の嘆声を発せざるを得ぬ。不幸にして大業ならざる時母上はどうなるのか。我家を再興せねば父上は地下で瞑れぬ。自分もまた何もなさぬ事になる。こう思うとまた嗟嘆には勝てぬ。他家の養子を薦める話もあるが自分は頑迷にこれに従わぬ……思い続けても答えは見つからぬ……

明治31年は工科大学電気工学科1年生である。この年家兄が肺病を患う妻チカと離婚した。浪平は兄嫁のチカが人力車に乗り寂しげに後ろ髪を引かれるように実家へ帰って行った姿が忘れられなかった。病身のチカが母チヨとどんな話をし儀平と何を話したのか。浪平は在学中で学費生活費を送らねばならぬ。その下に育ち盛りの弟妹が5人もいて父惣八が遺した借金の山がある。辛いなどと言葉で済む状況ではなかった。弟妹も多病であった。我が家に不幸が続いている。

『晃南日記』の明治31年12月31日の「歳暮感」に人生の設計図というべき決意表明をしている。その要旨は次の通りである。

今年の強い希望を述べる。本年は旅行し各地の工場を見学し我が国工業の幼稚さに驚いた。また外国雑誌を読み欧米の盛大なる規模に驚愕した。愈々卒業し社会に出れば一小電気会社の番人になる事は望まぬ。

我国の工業が振わねばこれを振せるのが我が任務であり決して会社の番人などでは終らぬ。如何にしてその目的を達成するか。場合により全てを犠牲にして米国へ渡り大電機会社に入り如何なる辛苦にも耐え奮励努力しその地に根を下ろし一生その地で終え大業を完成する事も辞さぬ。これが本年我が胸中に深く計画した人生の設計図である。

3 天は浪平に味方した

祖母を亡くした明治24年、浪平は第1高等中学校の寄宿舎に入居した。入学試験の時、校医から体重が10貫（37・5kg）に満たぬため注意を受け、海水浴などで身体を鍛え、11貫に増やしてようやく入学を許可された。浪平が学生時代に記した『晃南日記』には10回ほど体重測定の記録があり健康にかなり気を付けていたことが解る。記録を見ると明治32年5月は体重34・5kg病後とある。最高は明治27年６月と明治28年３月の49・８kgで10回の平均値は46・３kgである。

明治のこの頃、若者の体格は平均身長１６０㎝、体重50kgで浪平は平均値より少し下で病後には34kgに落ちている。妹満舞が肺病で病没し弟

20世紀の予言者村井弦斎

出典『栃木市の偉人』

校医に健康の注意を受けた浪平は勉強よりスポーツや散歩、旅行で健康を回復し交友を広げた。浪平を電気工学専攻に導いたのは著名な作家兼ジャーナリスト村井弦斎である。

陳平も病弱であることから勉強より健康第一スポーツ特にテニスに力を入れ、身体を鍛えた。ボートや野球、柔道や弓術なども試みた。玉突きに夢中の時期もあった。スポーツだけでなく美術、水彩画や油絵も嗜んだ。

勉強は独りでできるがスポーツは相手や仲間が必要である。色々なスポーツをすることによりそれだけ友人が増え、交友が広がる。すると勉強する時間がなくなりスポーツに忙しくなる。

さらに当時の高等中学は5年制で入学試験に年齢制限がなく小卒も中卒も30歳を超える者もいた。その後3年制に改正され第1高等学校となった。

浪平は旧5年制高等中学最後の学生で自治寮暮らし5年間に4年上の上級生や2年下の下級生とも、更に法文医学理学農学の学生とも交流した。

『晃南日記』を見るとほぼ毎日のように交友が綴られている。健康第一スポーツに力を入れたことや高等学校学制も後年事業家となる浪平に幅広い交友をもたせ、それが大きな力となった。

学者を志すなら話は別だが事業家を志すなら独りで勉強するより幅広い交友は大事である。

明治26年ボートを漕ぎ競漕会に出場が30回、寮の茶話会、英語学校同窓会、潮干狩り等に参加が10回以上、旅行7回で紀行文に短歌、俳句、漢詩、風景描写、絵など多彩である。

日記に登場する友人知人の名は延べ人数で６００人を超える。東京での学生生活は10年に及び実に幅広く色々な人物に出会った。

10万の大軍を率いる実業家を志すなら自分好みの人間だけ集めることはできぬ。様々な人間がいて企業は成り立つ。好きな人間も時間とともに気が変わり嫌いになることもある。東大卒、品行方正、学術優秀、電気工学百点満点を貰っても大会社の社長が務まるとは限らぬ。

浪平の父惣八は48歳で死去した。妹満舞も弟陳平も虚弱である。浪平は高等中学校に入学する時体重が10貫に届かず校医から注意を受けた。

まず何より健康増進のためスポーツや旅行や散策に力を入れた。また先述の通り当時の学制は高等中学が5年制で入学に年齢制限がなく寮生活は法文学医学理学農学工学の学生と同寮であったため幅広い交流ができた。

明治26年1月10日の日記には友人３人と放言したことを長々と記している。

……帰省中、田舎者の愚を笑い、国会議員や県会議員の高慢さを罵り、親類縁者が我らに向かい何学科を目的にするのか、早く目的を定めよ、法学は不利、工学は不得策と一身上の事に口を挟む。此奴らは何者だ。才なく知なく学がない。ただ経歴の多き以て君らより正月の〆縄を多く通ったなどと言う。経歴云々はこの様な所で論ずるにあらず。

一生の目的を定め意思を固めるに当り他人の説を待ってのちにする。かくして男子の本領を発揮する。燕雀いずくんぞ大鵠の志を知らん。彼らの論拠は新聞にある。然も小新聞の論説を見て法学士の売れ口の悪しきを知り工理文学士の不利を聴き忽ち物知り顔で我らの一身上に口をはさむ。何たる無礼。学士にして名声を博せぬはその人の罪でその修めた学科の罪ではない。

然るにこの事実を応用しその学科を修めるなと言う。何と言う無礼。然れども彼らはまだ歯牙にかけるに足りぬ。その基拠する所は微々たる小新聞でその記者は皆碌々たる青二才などと不平の心腸を覆して余す所なし。

また論鋒変じ卒業後の計画となり、再度変じ高等中学予科中の勉強法となり、3度話は変り位置の不平と社会の学士冷遇を怒る。また4度話は変り位置及び心思の変遷を推考し他日子弟を教育する方法及び方針を論じ人に対する談話風采の方法を論じた。

如何なる小説家と雖もこの境遇におらねば我らの内幕にこの種の不平、論方、快談あるを知らん哉。


浪平は最後に談止みて心浄々また清々と記している。

これが明治日本の最高学府学生のレベルであった。親戚縁者の口出しはみんなが応援している証拠であり従う必要はないが有難く拝聴すれば良い。それよりここに話している3人の青二才が立派に成長したか気になる。

大実業家は10万の社員を率いるのである。己を磨き経営者として大器に育たねばならぬ。他人の批判などする暇はないはずである。浪平もこのままでは実業家は難しい。

浪平は考えた。他人の口に戸は立てられぬ。意見は5万とある。青二才のマネを自分がせぬことが大切である。浪平はこうして他日大業をなすため知人友人と語り合い交友で自身を磨いた。

後年経営者となり会社の事案を決定する会議ではそれぞれの幹部に徹底的に討議させている。言いたいだけ言わせそれをしっかり聞いてやる。最後の結論を浪平が出している。そして全員の心情をひとつにまとめ事に当たる。大学時代にガリ勉で勉強ばかりしているとこうはいかぬ。人間の勉強が足りなくなる。

＊　＊　＊

明治30年は大学進学の年であった。帰京した1月6日の日記に「慈母はあらゆる世話をして余を送りぬ」と記している。７月７日試験結果が発表された。

如何なる成績なるか、真ん中より下では不面目なりと思っていたら自分の名前の上に△印が付いている。但し書きを見ると不合格とある。工科大学への進学試験に不合格であった。

この進学試験のやり方を浪平は日記の中で批判する。


……工学士なるものは学術において精確でなければならぬ。同時にまた博識でなければならぬ。特に信義に厚い人であるべし。何れの工業を問わず多数の人間の生命安全に最も直接に係わるため技術者が無知無学でかつ信義なきは最も危険というべし。この才能の人、信義の人を養成すべき工科大学の試験は果たして世人を首肯し得るのか。

医学、文科、理科に於いては創成的事業の多いに係わらず、独り工科において何故少ないのか。

　彼らの卒業生に能力なく学識ないからで彼らは模倣を以て満足する。模倣で満足する限り日本の工業論ずるに足らず。この遠因は工科大学の試験にありと言う可きである。


　大事業家となった浪平に大変失礼だが自分が不合格となった工科大学の進学試験に八つ当りしているとしか思えぬ。合格すればただ喜んだはずである。卒業生は先生になる人、研究者や学者になる人、経営者や事業家になる人、技術者になる人など様々である。工科大学はわずか3年間である。高度な学問の基礎を学ぶ所と思えばよいのではないか。工科大学先輩も能なし学なしと言われては面目が立たぬ。自分の失敗を他に転嫁するようでは大企業の社長は務まるまい。学生時代にこのような経験を繰り返し浪平は10万の社員を率いる高徳の大実業家に成長した。

　後年浪平の片腕として仕えた高尾直三郎は浪平の若い頃はケンカ早く特に上司に強かったと思い出集に書いている。上司に対し所信を曲げずケンカ腰になることも時々あった。強きを挫き弱きを助ける命捨てても信義を重んじるというふうで啖呵を切る。野州野武士の魂が蘇るのである。直三郎は時々そのような姿を見た。写真を見ても若い頃と熟達した温顔は別人のようであると言っている。

ただ浪平もケンカが良くないことは重々解っており瞑想し反省して事業家の器を磨き上げたのである。

明治29年9月15日入学式当日、工科大学学長古市公威の訓辞について日記に記している。訓辞の要点は、次のとおりである。

①社会に出た後の境遇を覚悟し注意せよ。
②実業は個人で学理に従事すること少なく多人数で事を為すので必ずその点に注意せよ。
③工学者は奇抜な行為を避けよ。
④質素を習慣とせよ。
⑤体力も必要であり体育を怠るな。
⑥高利貸しの災難に合わぬようにせよ。
⑦出身校毎に閥を創るな。

浪平は②について土木は独りでできぬかもしれぬが電気化学や冶金など必ずしもこの注意を守る必要はないとして次のように古市を批判している。大学は学長の言う如き低度の理想で良いのか疑う。学者風である必要もなく学者風をさける必要もない。自分がその場で理解した彼の趣旨に彼の理想の低さに驚かざるを得ぬ。

浪平は日本の最高学府の工科大学長がこの程度の訓辞しかできないのかとその程度の低さに正直驚いたのである。

古市公威は明治19年東京帝大教授兼工科大学長となり21年日本初の工学博士となった人物。この人物が当時の土木業界の最高権威であったから浪平が嘆くのも当然である。

浪平が名声や権威を重視せぬことは日記にみられるが情けないことにまさにこの程度の学者で日本の最高学府の学長が務まったのである。

浪平は後年、貴族院議員も経団連会長や業界理事長や会長なども辞退している。権威や名誉名声を求めなかった。但し電気学会の会長は学術振興のために引き受けている。『晃南日記』に批判的な記述があるのはこの学長の訓辞くらいで日記には人を批判する記述は殆ど見られない。浪平はポジティブで寛容な人間であった。

＊　＊　＊

浪平は他人や世の中の批判はしなかった。明治30年5月20日の夜、親友の葛西精一が、「君に相談したいことがある。聞いてくれぬか。池の端を歩こう」と人通りの少ない坂道に誘った。葛西は2年前尾崎紅葉の小説などを貸してくれて親しくなった。同じ寮に入寮してさらに親しくなった。葛西は当時鹿島組を創設した鹿島岩蔵の長女の家庭教師をしており、また彼から学資を給せられて土木建築を専攻していた。

前年の秋には葛西に誘われ深川にある鹿島邸に行った。

広い庭園の中に豪壮な邸宅があり大きな池で一尺２～３寸のボラ釣りを楽しんだ。葛西は話し始めた。

「君も知っての通り盛岡生まれの僕は1年後に父を喪った。財産など何ひとつなく尋常中学校時代何回退学を決心したか判らぬ」話すのも辛そうに葛西は話した。

「最後はついに母の実家の叔父に母と共に世話になったがその叔父もほどなく病気にかかり叔父一家が離散するという悲境に落ちた」

「ところがそれより少し前に鹿島の社長が土木工事の仕事で偶々叔父の隣に住むようになり、叔父一家の離散と私ら親子の苦境を聞いて私を東京に連れて行ってくれたのだ。

その時私はすでに18歳で中学を出た頃であったが只々喜んで上京した。浪平、私が鹿島の社長から学資を出して貰っている訳が判るだろう」

葛西は悲惨な辛い過去を打ち明けた。葛西とは数年前から親しかったが初めてこのような事情を耳にしたのであった。

「そういう訳だったのか」

「こんなことを私は浪平にいまはじめて話しておる。そして君以外には今後も誰にも話さぬ」

「有難う。葛西、僕も誰にもしゃべらぬ」

浪平は葛西が信頼してくれたことが嬉しかった。浪平も合戦場の実家の辛い話を友人の誰にも話したことはなかった。

葛西は続けた。

「今は私の姉も東京に来て社長の一番上のお嬢さんの付人になっている。姉の夫は新聞記者をしていたが今は鹿島家の人間になり鹿島から月給を貰っている。

私は高等学校に入り益々主人に信用して貰っている。

浪平も知っている通り家庭教師もしているが親子共に人並みならぬ世話になり特に私は最高学府まで出して貰っており如何ほど感謝しても足りぬ。そう思っているところへ数日前主人は母に私を養子にという話を持ち出してきた」

「驚いたな。しかし、結構な話ではないか」

「結構すぎるよ。私も土木工学を学んでいるくらいだから鹿島家の人間になることは主人の恩に報いる最上の手段と思わぬでもないが自分は何といっても葛西家の跡取りであり家名を絶たれることは母には断腸の哀しみだからね」

葛西は盛岡藩士葛西晴寧の長男として岩手県岩手郡上田村に生まれ翌年父が逝去している。葛西が鹿島の養子になれば家系は断絶する。

「葛西、相談があると言ったのはそのことか」

「そうだ」

葛西は生まれた時から母親と共に辛苦の日々を懸命に生きて努力してきたのか。葛西、人生はこれからだ！

浪平は暫く黙っていたが……それから葛西を見て言った。

「葛西、君の親戚に適当な人はおらぬか。君に代わり葛西家をついで貰うということもあり得る」

「それはできなくもないが母ひとり残すことはできぬ……」

「何も母上と別居することはないさ。君の家は正直に言えばあるかないかの有様である。必ずしも君を俟って立つを要せぬので親戚にしかるべき人がおればその人に名義をついで貰っても良いと思う。

今日、男子が何かの大事業をしようと思ったら必要なのは財産だ。その財産が今まさに君の自由になろうとしている。それを遠慮するのは賢明ではない。僕は勿論母上を捨ててまで他家の人になれとは言わぬ。母上もこの話に賛成で君と共に東京に来るということでよいのではないか。誰がそれをいかんと言おうか。君はそうして鹿島家のためにより一層努力を尽くしその恩義に報い、また君の力で葛西家を数倍立派にしたらいいではないか」

「うむ。浪平、君の考えは判った。まだ決心つかぬがよく考える」

「そうしろ。ところで鹿島のお嬢さんはどんな人かね」

肝心のお嬢さんのことを葛西がどう思っているのか気になった。これが最も大事なこと。

「そうだな。才気走って中々負けん気が強いがサッパリしたところもある」

「お嬢さんは美人かね」

「うむ。美人だな。女らしい優しさはあるがコマかいことまで気がつくような世話女房タイプではない……。お嬢さんと私も悪くはない。実のところ財産などどうでも良いと思っている。むしろ財産目当てに結婚したなどと言われてはこれほど迷惑なことはない。私は成績も悪くないし母ひとりくらいなら看取れる。鹿島への恩義なら別に報いる手段もないわけではない」

「僕が言わんとしたことは人間がこの世に生を受け大志を為さんとすれば正当な限り必要なものは利用すべしということだ。苦労された母上へのご恩、鹿島への恩義、そして国家報恩のため葛西には大事業家になって貰いたい。葛西にしかできぬ大仕事をなすことがこの世への恩返しと僕は思っておる。

多少の財産に目が眩み愛情もないのに結婚するなということだ。そういうことは僕も考えずまた言えることにあらず、その点、誤解しないでくれ給え」

「浪平、判った。有難う」

上野池の畔で二人は語り合った。

明治32年葛西は東京帝大工科大学土木工学科を卒業し逓信省鉄道作業局に出仕。鹿島岩蔵の長女糸子と結婚し婿養子となり鹿島組副組長となった。

45年養父岩蔵の逝去により37歳で3代目鹿島組組長となり昭和5年鹿島組を株式会社化して初代社長に就任した。昭和13年会長に就任。東京商工会議所議員。東京土木建設業連合会会長、土木学会会長、貴族院勅撰議員など歴任した。

昭和９年12月１日世紀の難工事と言われた東海道線丹那トンネル全長７８０４mを16年の歳月をかけ犠牲者67名、総工費２６００万円の難事業を同郷の大学同窓菅原恒覧が社長を務める鉄道工業と組んで社運を賭けて挑戦し成功した。鉄道用トンネルとしては日本最長であった。

葛西には幼少期から少年期を母と共に耐え抜いた辛苦の日々が偉業の原点にあった。鹿島岩蔵から受けた恩義に報いるため更に国家報恩のため謹厳実直の盛岡武士は奮闘し鹿島組を日本トップの建設業に育て上げたのである。

浪平が日立を創業し社長の地位に就いたのは創業19年後である。しかも社長とか部長とか職位で呼ぶのを好まず「小平さん」と名前で呼ぶようにした。社員は共に団結し努力して大事業を遂行する同志であった。

大学入学試験の時校医から健康状態について注意を受け勉強より健康第一とスポーツや散策に取り組み交友を広げたことにより事業家の基礎となる人格が次第に醸成された。天が浪平に味方したのである。浪平も葛西も立派な武士であった。

4 忠君愛国の武士

日本史は神話に始まる。高天原の安河原に八百万の神々が集い国の行末を合議した。神々とは地域代表者であり、皇祖天照大神は天と交信する祭祀の役目で日本は原初から民主国であった。

皇祖天照大神は君臨すれども統治せず、統治は神々の役目である。神武天皇以来公家社会では公家が政権を握り、武家社会では武家が征夷大将軍に任命され政権を担当した。

日本は万世一系の天皇を有する世界に希有の君主制国家である。外国に占領されたことがなく国民は平和を愛し勤勉礼節で和を以て貴と為す高尚な国民性を有する。

幕末の日本海域に蝦夷地から琉球諸島まで120隻をこえる西欧列強の艦船が出没し日本に圧力をかけてきた。大陸北方からロシア

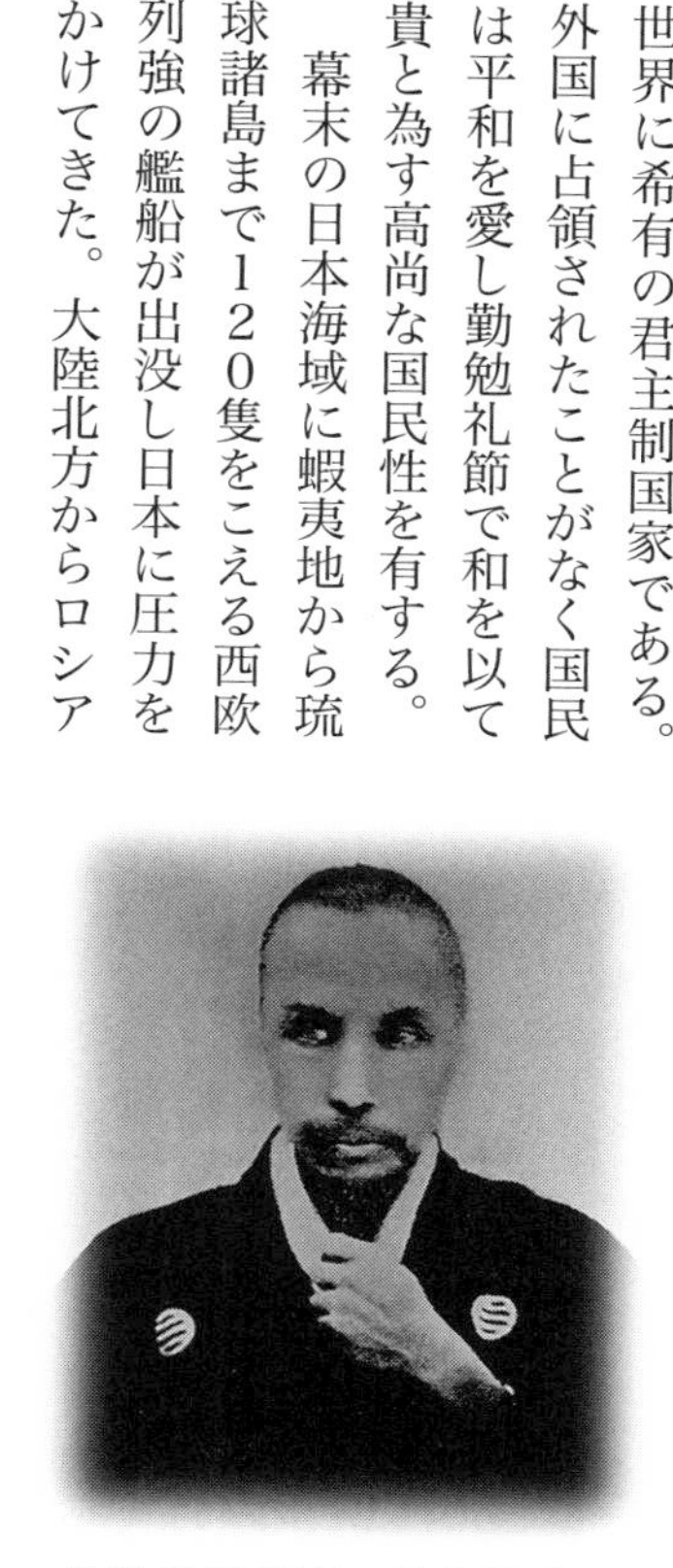

兵学者思想家　佐久間象山

出典「ウィキペディア」

学生時代時間割脇に佐久間象山の詩を座右の銘とした。浪平は日本人の精神を失わず西洋の科学技術を究める、産業を振興し国運を隆盛する技術立国の道を邁進した。

が南下して来た。

日本は幕末に尊王攘夷開国論が渦巻いて明治維新を断行し近代化を急いだ。この激動の時代に明治天皇は西洋かぶれを好まれず、ひたすら国運隆盛と民の幸福に尽力された。東洋の小国日本が東洋の大国清に勝利し世界最強ロシアに勝利して世界にその名を知られた名君である。

日本は歴史上外国に占領されたことがなく国民は勤勉礼節で平和を愛する。戦争で領土拡大する発想は元々なかった。日露戦争で8万人が戦死した。第二次世界大戦で３１０万の死者がでて家族含めその数倍の人口が数世代に亘り苦しむ。武力で領土を拡大してもその結果恨み憎しみ苦しみが増す。戦争後遺症は何百年も続くのである。

真の国運隆盛と国民の幸福は産業振興である。物事を合理的に考え情け深い浪平が戦争を好まぬことは明白である。日本はこの時代何度も戦争に巻き込まれた。明治天皇を崇敬する浪平は東アジアに迫るロシアを警戒した。この赤熊に負けるわけにはいかぬ。負ければ神国日本はなくなる。

明治26年2月11日の『晃南日記』に浪平は記している。


今を去る２５５３年、神武天皇大和の橿原に即位せられし当日なり。臣民たるは生業等を休み拝賀し奉る。

昨日聖詔あり。陛下は議会の製艦費に不同意なるを以て、皇室費の内30万円及び百官の俸給6カ年間十分の一を削減し、以て製艦費に充て賜わんとす。吾人臣民聖志の厚遠なるに感泣せざるをえぬ。

浪平の日記には忠君愛国の念が溢れる。

明治天皇は幼少時病弱であったが健康を回復され、西欧的立憲君主として帝王教育を受け激動の時代に世界史に残る名君となられた。

天皇は若年で即位され、大政奉還、王政復古、戊辰戦争、日清、日露戦争と激動の幕末から近代化を実現された指導者であり立憲君主として国民から厚く畏敬された。生活は質素で自己に峻厳で威厳を示された。和歌を愛し文化的素養が高かった。天皇の御製に「四方の海みなはらからと思う世になど波風のたちさわぐらむ」とある。日露戦争の開戦にあたって天皇には危惧があった。世界は全てが兄弟姉妹で平和であると思っているのにどうして波風が立つような動乱の兆しがみえるのであろうか。明治天皇は戦争忌避、平和愛好者であった。明治45年7月30日明治天皇崩御。大喪の日、日露戦争２０３高地総攻撃の師団長、陸軍大将乃木希典夫妻が殉死した。

国家の繁栄のために奉ずる、浪平の体内に忠君愛国の血が流れる。明治27年から28年の日記に60カ所以上に忠君愛国の述語や記述がある。

日清戦争は浪平の大学時代でしっかり心に焼き付いていた。如何なる戦艦や巡洋艦を揃えても命令系統が乱れ総督や提督や皇帝がバラバラでは戦争に勝つことは不可能である。指揮命令系統が機能しない。

猛訓練を重ね戦略方針を全員に明確に示し奮励努力すれば戦艦保有数が貧弱でも勝利が可能である。日露戦争でも同様のことが起きたのである。

浪平は後年、日立を創業し優秀人材を集め全員が火の玉となって知恵を絞り奮励努力する野武士団を創成した。その指揮統括に名采配を振るった。これで創業時は不足する製造設備、試験設備の不足をカバーした。企業も戦争と同じ。後年浪平は武器に代わり技術力で世界を相手に戦う武士団を創成した。

西欧白人は表向き産業革命を起こし世界に西洋文明の新時代をもたらしたことになっている。しかしロシアは元々寒冷地方の狩猟民であり好戦的で勝利のためには手段を選ばぬ。16世紀から20世紀まで5世紀に亘り白人による世界制覇、侵略と略奪の時代となった。

先見力ある浪平は西欧かぶれではなかった。西欧から技術導入せず電気機械を自力で開発し国産化した。

明治天皇も西欧かぶれを好まれなかった。浪平は文明を拓いた白人の持つ欲深さ、悪賢さ、奸悪さ、人を欺き戦争を好むイヤな面を見抜いていたのだろうか。これは日本の武士道とは相容れぬ残虐な人間性である。浪平の『晃南日記』には時間割の傍に座右の銘として象山の名言が置かれていた。

謗者我任謗　嗤我任汝嗤　只天公知　我不覚他人知

訳すると謗る者は汝の謗るに任せ、嗤う者は汝の嗤うに任せる、天公本我を知る。他人の知るを覚めず。

象山は名言を遺している。書を読み知識をためただけではダメ。実際にやってみる。それが科学技術である。好奇心があるから学び、チャレンジするから成果がある。失敗があるから成功がある。失敗は成功の基。人は生まれてから10年は己のことを考え次の10年は家族のことを考え、20歳になったら故郷のことを考え30歳になったら日本のことを考え40歳になったら世界のことを考える。

東洋の道徳と西洋の科学技術を余す所なく究めることにより国民の幸せと国家報恩、国民の利益につながる。

佐久間象山は幕末から維新に活躍した勝海舟や坂本龍馬、吉田松陰に大きな影響を与えた兵学者で思想家である。浪平は電気工学専攻を村井弦斎に相談して決め事業家としての精神面を佐久間象山に求めている。

忠君愛国の志士たちは命惜しまず国のため自らを捧げた。浪平は日本を改革したこの志士たちに相通ずる大志を抱いていた。親兄弟や親戚筋や友人知人他人を含め謗るなら謗れ。嗤うなら嗤え。

我は天が命ずる道を歩むという意味である。至誠通天という故事がある。天に通じる誠を尽くすのが浪平の事業哲学となっている。浪平は日本人がまだ電気をよく知らぬ時代に電気工学を専攻し外国に頼らず自力で電機製造業を創業し世界企業に育て上げた。

戦争に勝てば国が栄えるとは限らぬ。国運隆盛のため産業を振興する電力と動力を生産する発電機やモーターや変圧器など電気機械を自力で開発し国産化する。

外国に頼るとロイヤリティを支払い高給取り外国人技術者を雇わねばならず外国を追い抜くことが難しくなる。先述の通り白人が日本人より優れているとは限らぬ。

江戸時代に日本を訪れたドイツの博物学者ケンペルの『日本誌』には西洋とは全く異次元の高度文明を有し勤勉で礼節な日本人が印象深かったと記されている。

ひるがえり西欧人は欲深い、悪賢い、奸悪で人を欺き戦争を好むとケンペルは記している。

２０００年の国連犯罪統計をＧ８で見ると犯罪率（人口10万人当たり）は日本１・９２、西洋は平均で3倍、英は5倍。特に凶悪犯が西洋は多い。殺人は日本の０・５に対し西洋平均は日本の8倍、ロシアは40倍である。

強姦日本１・７８、西洋平均は日本の11倍、加は44倍。強盗は日本４・０７に対し西洋平均は日本の21倍、英は44倍。麻薬日本22・２４、西洋平均は10倍、米は25倍。賄賂は日本０・０８、ロシアが日本の65倍、ルーマニアは日本の６５４倍、英領香港は日本の６１５倍でケンペルの言う通り白人は欲深く悪賢く奸悪で人を欺き戦争を好む。

表向き産業革命により工業化社会を構築した西欧諸国は、５００年に亘り世界を侵略植民地を世界に広げた。白人を手放しで信用してはならぬ。彼らが立派なのは表向きの建前でその裏に何が蠢いているか解らぬ。

第二次世界大戦は白人の中でも欲深く悪賢く奸悪で人を欺き戦争を好む米英を相手に戦争した。とても勝てる相手ではなかった。真珠湾攻撃は彼らの罠であった。

浪平は技術導入のためロイヤリティを払い白人技術者を雇うのは二流がやること、日本人の力を信じ自力開発を進め電機製造業を世界企業に育て上げたのである。白人のヒモ付きになってはお終いである。

浪平は天から日本を俯瞰し国家隆盛を実現するため厳しい道を選択した。事業立ち上げの手元資金どころか小坂鉱山入社時に新調した背広1着も月賦であった。

電機製造の起業に当たり技術力を磨くため小坂発電所建設、広島水力発電では配電部長、東京電灯では送電課長、日立鉱山では工作課長を経験しモーターや変圧器修理に従事し久原の力を借り従業員5人の掘立小屋から起業した。

明治時代、銅と絹は外貨を稼ぐ重要輸出品であるが、銅を加工し電線やケーブルを製造、さらに技術力を注入し発電機やモーターや変圧器など電気機械を製造すれば国内に高度の技術を有する電気製造業が生まれ大量の技術者と熟練工が生まれる。水力発電機は水力を電力に変え需要地の都市部へ長距離送電すれば湖水や河川が電力源に変わる。再生エネルギー１００％である。

モーターは電力を工場で動力に変える。手工業が動力に代わり日本中に産業革命が広がる。電機製造は産業振興の原動力となるのである。

銅素材をそのまま輸出するのではなく国内で電機製造業を興し技術力を注入し高付加価値化して外国に輸出する。これが本当の日本人がやるべき仕事である。

戦争に勝つだけでは日本は生き残れぬ。浪平は大学時代の時間割傍に象山の名言を座右の銘として置いている。嗤うなら嗤え、天は我思いを知ると信じていた。お国のため電機産業を興し産業振興を図り富国隆盛を構想した。大学３年時に長距離送電の演説を行っている。

千島列島の海底ケーブル工事に参画し海底ケーブル工事に自信を付けた。実習で水力発電所建設工事に従事し小坂鉱山で見事に止滝水力発電所建設工事を統括し完成した。広島水力発電では配電部長を務め、東京電灯会社では送電課長、日立鉱山では工作課長を経験し房之助の力を借りて日立創業にこぎつけた。

何をやるのか。日本に産業を興し国家を隆盛に導くのである。電気製造業は富国隆盛の原動力となるからである。戦争に勝っても国力はつかぬ。戦争を繰り返すと人命を犠牲にし国費を浪費し国は滅亡する。

国力をつけるには自力で新技術を開発し技術者や熟練工を育成し産業を振興する。技術立国の日本を建設する。愛国者浪平の信念であった。

5

武士は仁義に生きる

祖母ヨシは賢い浪平を特別に可愛がった。浪平は学校が終わると庭に筵を広げ近所の子供5~6人と芝居ごっこをやる。いつも子供たちは斬られ役で最後は浪平が小刀を振り上げ見栄を切る。子供の頃の浪平は負けず嫌いのガキ大将であった。

浪平は偉くなる。大将か、大臣か、大会社の社長になる。自分は何も教えられぬが人の道は教えておかねばならぬ。祖母は子供たちが帰ったあと縁側から庭に下りて地面に人の字を書いた。

「浪平、この字を読めるか」

祖母が問いかける。

「知っている。人という字だよ」浪平が答える。

「そうだ、お前は賢い、この

鉱山の至宝　竹内維彦

出典『日本鉱業史』

浪平は慈母チヨ、祖母ヨシ、兄儀平家族から受けた限りない恩愛と思いやりを周囲の人々にお返しした。社員を家族のように思いやり大事にした。恩師友人知人に受けた恩義は生涯忘れなかった。

字をよく見よ。ノの字に支えがついて人という字になる。人は皆互いに支え合い生きている。弱い者を虐めてはならぬ。強きをくじき、弱きを助けるのが人の道じゃ。忘れてはならぬ」

祖母はさらに付け加えた。

「浪平の母チヨは私の末の子だが父祖代々武士の情けを持っている。チヨは村に病人が出ると見舞いに行き励ます、自分のことより人のことを思いやる、浪平は立派な母を持った。己を思うように人を思いやるのが人の道じゃ。浪平はきっと大臣か、大将か、もっと偉くなる。人を思いやる人間になれ」

祖母ヨシは無学だったが浪平の母チヨを生み育てた賢女である。浪平は幼少から漢書の素読を受け育った。そして祖母ヨシ、母チヨ、兄儀平の限りない恩愛に包まれて育った。

浪平には父祖伝来の坂東武者の血が流れる。質実剛健、質素にしてその反面情け深く律儀で忠孝を尽くしている。『晃南日記』に慈母の文字が57カ所出てくる。わざわざ母に慈悲深い母と敬語を用い、いかに母を敬愛していたかが窺える。

同様に兄儀平を家兄と敬い日記に63カ所以上文字が出てくる。浪平以下弟妹たち６人は母チヨと長兄儀平の２人に育てられた。浪平は10年間に及ぶ東京留学の学費と生活費を仕送りしてもらい一度も滞ったことがなかった。

帰省する度に家族全員で温かく迎えてくれた。母チヨと兄儀平はこの間父惣八が遺した借金のために寝る暇もなく働き続け、母チヨは製茶や養蚕で生計を少しずつ立て直し、兄儀平は下級職員として地方銀行に勤めた。浪平は東京から帰省すると茶袋の渋紙貼りを手伝った。日記に30カ所以上渋紙の文字が出てくる。茶袋の経費を抑えるため自家で茶袋を作る。この体験は後年電機製造業を創業し原価を抑えるため様々な努力をしているがその原点になった。

日記の中に度々親戚縁者の名前が出る。浅草代地の祖父惣八の妹平井リツ家や間中の伯父伯母、金崎の五十嵐伯父伯母など高齢であり見舞いに行き1泊したり夕食を共にしたり家族のように接している。実家の合戦場から家族が上京すると親戚を訪ねた。日記に親戚が190カ所以上記されている。人という字はノの字に支え棒がついている。人への思いやりを忘れるな……は祖母ヨシの教えである。友人知人恩師の名前は延べ600カ所以上ある。

日記は人に見せるため書かれたのではないが悪口や雑言などマイナスの言葉が出てこない。浪平が寛容で情け深く高邁な人格を備えていたことが窺える。

浪平は人を思いやる気持ちが強かった。兄儀平の最初の妻チカは結核を患い離縁して実家に帰った。その時の様子を浪平は日記に記している。チカが如何に苦しんだか。惣八が遺した借金の山を支払わねばならぬ。残された七人の子供たちを育て上げねばならぬ。

石に噛りついてもお家再興のため次男浪平には学問の道を進ませねばならぬ。慈母チヨはチカの実家の調七に土下座して詫びたのだろうか。

母チヨ、兄儀平がいかに苦しい決断をしなければならなかったか。浪平は死の病を患い人力車で生家へ帰るチカの後ろ姿を見ているがどうすることもできなかった。必ず自分が何か大仕事を成し遂げてチカ、チヨ、儀平の無念を晴らそうと決意した。

長兄儀平は離婚後も毎日銀行の勤めが終わると病院にチカを見舞った。儀平がノブと再婚したのはチカが亡くなって４年後の明治35年であった。

浪平はすぐ下の妹マンを結核で失った。当時結核は死の病でどうにもならぬ。マンは何かと浪平に相談したが浪平は満足な回答ができなかった。当時結核は死の病でどうにもならぬ。浪平は自分でどうにもならぬことに何度も出会った。その度に家族の無念を自分が晴らさねばと自らを叱咤した。どうにもならぬ兄嫁チカの死、愛する妹マンの死、度重なる無念の不幸が、なんとか、自分がせねば！という強烈なエネルギーとなって浪平の心の中で燃えたぎった。

病人は見舞い激励することしかできぬ。友人が入院すると見舞いに行き激励する。伯父や伯母の見舞いも欠かさなかった。東京在住の高齢の伯父や伯母の家に見舞いがてら毎週のように足を運んだ。日立を創業すると社員を家族同様に考え大事に育てどこより高い給料を与えるように腐心した。

ある時、中里発電所の番人が大雨の日に用事があり川を渡った。山地のため大雨になると川は忽ち洪水となる。木製の橋など役に立たなかった。しかしその番人は職責を全うするため周りが止めるのも聞かず川を渡ろうとして溺死した。そのことを所員たちに話す浪平の言葉はほとんど涙声だった。浪平は兄弟を失ったように番人の不慮の死を悲しんだ。

浪平は経営者として注文取りに或いは資金繰りに毎日血の出る苦衷をなめてもそれを側近の

高尾や馬場や秋田にもらさなかった。技術担当者に余計な経営上の心配をさせないためである。後に専務を務めた秋田は業務上の不満をやめるまでに浪平に思い切り言っておこうと思った。そしてある時浪平の家に行った折、浪平が何時になくしんみりと「こんなことを人に話したことはないが……」と初めて自分の苦労話をした。秋田は非常に驚いた。浪平の苦労はとても自分の苦労とは比較にならぬと感じ多年の不平が一遍に霧散したと述べている。

浪平は人のことも自分のことのように考え、思いやる。秋田の心情を浪平は察していた。それで自分のことを話して秋田を励ましたのである。

池田亮次は昭和人絹に来ないかと誘われ、浪平が良いと言うなら行っても良いと思った。日立は沢山人がいるし偉い人も沢山いる。自分がいなければ日立が動かぬというわけじゃない。向こうは誰もいないから手伝ってくれという話である。それで日立から自分が出てもそう大きな打撃にはならんと思った。しかし自分はあの時、浪平があれほど自分を思うていたということがよく解った。浪平は、「日立という会社を今日自分がやっているが当初から一緒にやっているお前やここにいる連中の中から独りでも欠けると私はやってく気力がなくなる」とボロボロと涙を零した。池田は黙ってしまった。もう一切お任せしますと言って引き下がったと述べている。

浪平には創業を共にした仲間が日立を去ることは死ぬほど辛かった。人を思う気持ちが不足したと自分を責めた。兄嫁チカが病を負い生家へ帰った時の辛さ、妹マンを結核で失った時と同じ寂しさであった。事業の発展と共に浪平の人を思う気持ちはさらに広がる。注文頂いた得意先をお客様と呼んだのも浪平が始まりである。

浪平は日立創業の原点となった日立鉱山の久原房之助に生涯を通じ敬愛の情を抱いていた。房之助は昭和16年70歳を迎えている。

還暦を迎え政界入りしたが、思い通りにはいかなかった。敗軍の将、兵を語らず。房之助は刀折れ、矢尽きた。昭和19年浪平は房之助を慰める会を小石川別館でやり至れり尽くせり房之助を労わり手を取らんばかりに送り迎えし、その奥ゆかしい姿は周囲の人々の涙を誘った。浪平は房之助に深い恩義を感じていた。小坂では発電所建設工事を取り纏めその統括力を認めてくれた。日立創業時は浪平の提案を房之助は薄利多売の愚の骨頂と反対したが、それが浪平に「何くそ今に見ておれ」と負けじ魂に火をつけてくれた。

また創業時の人材集めは最高学府から優秀人材を高給で優遇し鍛え上げる。従業員の家族を含め一山一家主義で理想の鉱山都市を構築した。浪平は房之助に事業家として成すべきことを学んだ。浪平は恩義を片時も忘れなかった。

小坂と日立鉱山では竹内維彦と浪平は所長と課長とはいえ同じ釜の飯を食った爾汝の親友である。竹内は浪平が電機製造業を始めるという抱負を聞いて大いに共鳴し浪平が自分の元をはなれ独立しても浪平の望みが叶うならそれで良しと考え房之助に懇請した。竹内は浪平の大志貫徹に協力した盟友であり大恩人であった。その竹内が晩年前触れなく四国の片田舎に隠遁した。何があったのか。

竹内は昭和9年4月28日に日本鉱業社長を辞任。不況の煽りで久原商事が破綻し久原鉱業の経営にも行き詰まり、昭和2年3月に房之助は義兄の鮎川義介に後継を託し地元田中首相との繋がりで政界入りした。

鉱山王の名声を世に轟かせた房之助も銀行が相手しなくなると事業家として再起不能である。還暦に近い年齢で政治家に転職した。小坂日立両鉱山の成功は房之助の資金力と竹内の自溶燃焼法に浪平の水力発電による鉱山設備近代化を実現したからである。

この年齢で政治の世界に飛び込んで大仕事ができるのか。昭和2年11月政府特派経済調査委員として7名の随行員を連れ独とソ連を訪問した。お迎えの馬車に乗りクレムリン宮殿でスターリンに田中首相の親書を手渡した。この時、房之助は持論の「東亜広域構想」をスターリンに説いた。

「中国大陸に緩衝国を設けこの国は武器を持たぬ。日支ソ3国は干渉せぬ。協約により安全を保障する。自主独立本然を発揚し国民の福祉を増進する。東亜安定の基礎とする」

房之助はスターリンにお説教した。相手は共産党独裁の強者である。スターリンがどう思っただろうか。スターリンは「やがて3国の中から勢力ある者がこれを圧迫し従属化して仕舞わぬか」と述べている。泥棒に説教するようなものである。

房之助は「宇宙本然の力を発揚する」とスターリンに説教した。房之助はまるで新興宗教の教祖のようなことをスターリンに説いた。

昭和３年２月山口１区から衆議院に初当選、逓信大臣、立憲政友会幹事長など歴任した。房之助は大陸進出を主張した。一代で巨万の富を築いた自分は超人であると考え自分が政党を率いる「一国一党論」を提唱。これはヒトラーやスターリンの独裁主義と同じである。小坂日立鉱山で「一山一家」は実現したが国家レベルでは一党独裁である。

昭和６年３月政友会幹事長の時、第18回総選挙が行われた。房之助の腕の見せどころで鮎川義介や親戚筋、日鉱社長の竹内維彦、日立の浪平に１口50万円の政治献金を要請した。鮎川は了解し浪平は盟友と相談したあと了解した。竹内は房之助と会う約束の場所に来なかった。妻と一緒に白浜温泉へ行き10日間帰ってこなかった。

房之助は政界入り直後も献金を要請したが竹内はその時も約束の場所に来なかった。自溶燃焼法で鉱山界に革命を起こし「鉱山の至宝」と謳われた。技術の道に義理人情は通ぜぬ。技術開発は自然の摂理に従うだけである。

四国武士の竹内は、政治の世界へ飛び込んでカネで人を動かし、夢想の東亜広域構想を提唱し献金を要請する房之助についていけなかった。昭和９年４月28日竹内は日本鉱業社長を辞任した。義理人情に篤い浪平は２度ほど誰にも言わず竹内を訪ね、２度とも面会を謝絶された。竹内はもうこの世の誰とも会いたくなかったのである。

後年このことを側近として仕えた伊藤文寿に聞かれ浪平は「竹内が四国武士なら僕にも野州

武士の魂がある」と言って寂しい表情をしたと伊藤は『小平さんの想ひ出』に記している。浪平は終生恩義を受けたことを忘れぬ。天国で竹内に会うことあれば変わらぬ友情と感謝を伝えたい。竹内は浪平に日立創業の道を拓いた大恩人であった。

＊　＊　＊

大高銓吉は『小平さんの想ひ出』に「忘れられぬ感激」の一文を記した。昭和11年6月10日九州営業所を訪問した浪平を下関まで見送ることになった。列車が門司に近づいた頃、浪平が、「実は人を訪ねたいが初めて訪ねるお宅で土地も不案内だし……用件は私用のようなものだが……誠にすまぬが一緒に探して頂ければ……」と言い出した。

どうぞお伴させて頂きますとタクシーで長府に向かった。浪平は車中「岡本高介氏長府町……」と書いた紙切れを大高に渡した。長府に入り住所を聞いても解らず町役場の戸籍係を訪ねた。書いてある地名は昔のもので今はなかったが戸籍係は岡本氏宅への道順を書いてくれた。教えられた道は麦畑の中を次第に細くなり50m先に岡本氏の家が見えてきた。大高は浪平を車に待たせて玄関で案内を乞うが返事がなく裏へ回ると女中らしき人が出てきた。

やがて「私が岡本ですが」と主人と奥様が一緒に出てきた。花畑の手入れをされていた様子で麦藁帽に野良着草履履きであった。年は60くらいで中風を患われたのか杖をつかれ右足が不自由であった。

「突然お伺いし誠に失礼ですが私は東京から参りました小平のお伴で参った者です」と申し上げると主人は、「小平……小平……」と小首をかしげられ、「日立の小平でございます」と大高は申し上げた。

「何、日立の小平、浪平君か。浪平君がここに訪ねて来てくれたのか！　どこに！」

と非常に感激され、奥様も「まあ小平様が……」とビックリのご様子で浪平を案内すると、「おー小平君！　しばらく……だがよく来てくれた！」と手を差しだされ浪平も、「お久しゅうございます、お礼を申し上げに参りました」と進みよりその手を固く握りしめた。

「いやあ、それにしてもよくほんとに訪ねてくれた」と涙ながら繰り返される主人を浪平も抱くようにして泣いた。このあと浪平も手伝い奥座敷へ通され暫く和やかに話した。２人は帰り際にも名残尽きぬ様子で主人は奥様と一緒に門外まで見送りされ浪平も何度も手を振り主人夫婦を振り返った。

浪平は非常に満足した。帰りの車中、大高に「百年の負債を返したような気分」と言った。

日立創業の頃、名古屋電灯会社の技師長であった岡本高介は大学で浪平より７年先輩で岡本の好意を浪平は終生忘れることができなかったのである。まだ日立の社会的信用がない頃、浪平を理解し同情して当時大手の同業でも製作不可能と思われた大型モーターを日立に注文した。当時は日立山手工場でモーターを何度作っても回らなかった。そんな時岡本は大型モーターの注文を日立に出し非常な援助と激励をした。

浪平以下、死に物狂いでこのモーターを作った。ところがこれがすこぶる具合よかった。モーターは回った。岡本の注文が日立のモーター作りを拓いた。浪平は非常に苦心してこの注文を貰ったと思われるが技術陣に余分な心配をかけぬため高尾や馬場にも話さなかった。馬場は浪平が天から降ってきたような話をして注文を貰ってきたと述懐している。

浪平は大高に「今日のことは他言しないでくれ。自分だけの心の満足だから」と言った。大高はこのことを浪平が亡くなるまで守った。この時の感激を大高は9首の歌に詠んでいる。その中の1首に、

みこころの　たらいし君の辺にあれば
われにも透るほのかなるもの

『小平さんの想ひ出』に大高の一文が載ったのは也笑夫人の「あの時主人は帰宅してからこのことを大変感激し話しておりました……」という言葉からその時の状況が解ったのである。

浪平の人々に対する深い思いは親兄弟親戚から友人知人に広がり、さらに日立創業後は従業員一人ひとりへ広がり得意先もお客様と呼ぶようになった。

やがて浪平の心情が次第にその分身である日立の風土となり世間の日立に対する絶大な信頼へとつながった。祖母ヨシが教えた人への思いやりは浪平が創業したその分身である日立でお

客さまを第一に考える顧客第一主義に進化した。経営者には会社を私物化し得られる利益を自分のフトコロへ流し込み成金王になる人間も沢山いる。

　また最高権力者の地位を利用して権力を振るい恐怖政治を行い従業員を動かす経営者もいる。こういう経営は長くは続かぬ。やがて人心が離れる。

　浪平は事業家になっても地位名誉名声を求めず、社員にできる限りの高い給与を払うように腐心し社員を家族のように思いやった。

　決して大株主にならず、得られた利益は社員の退職時慰労金として積み立て或いは社員の福利施設、社宅、病院、診療所、日用品販売所、専門学校や研修所、研究所などの充実に回した。自分は質素倹約を守り日本一の大事業家には程遠い質素な家に住んだ。

　浪平の胸の奥に祖母ヨシから慈母チヨから遺伝した人々への思いやりがごく自然に宿った。浪平は自分事のように社員友人知人周囲の人々を思いやった。そして恩義を決して忘れなかった。浪平は日本の武士であった。

第3編

和製ベンチャー王の遺訓

1

初仕事で見せた異能

明治33（１９００）年浪平は東京帝大工科大学電気工学科を卒業した。同年小学校令が改正され、尋常小学校は４年制で授業料無料となり子供たちが身分や性別によらず誰でも小学校に通えるようになった。浪平が卒業した帝大はエリート中のエリートだけに許される日本の最高学府で、帝都の帝大卒となれば引く手数多（あまた）、立身出世の道は大きく開かれていた。

しかし浪平は卒業と同時に秋田県鹿角郡小坂鉱山に入所した。当時小坂ははるか帝都からはなれた東北の山中である。東北本線で上野から仙台を経て青森で乗り換え小

小坂鉱山

出典「ウィキペディア」

まだ20代の若者が当時記録的大容量発電所の水路・水力・発電・送電工事を統括し工期通り見事に完成し人々を驚かせた。

坂まで人力車か馬を乗りついで6時間の長旅となる。社会人としてスタートする浪平は本郷の洋服屋で背広を仕立てた。代金は75円。目の玉が飛びでる値段で下着ほかで百円となった。こんな大金を浪平の郷里小平家は用意できなかった。浪平は百円を月賦で支払うことにした。

この時代輸入品は舶来品として高級品でピアノや自転車や自動車も高級品であった。浪平の背広生地は舶来品で、背広はステータスシンボルであり庶民には手が届かず浪平はムリをして月賦で購入した。

明治の産業革命は人手作業を動力に変え、灯油ランプを白熱球に変える。鉱山ではツルハシの手掘りをやめ、コンプレッサーの圧縮空気削岩機で採掘する。鉱石積出には電動巻揚機を用い、輸送に電気鉄道を使うなど生産力を10倍にできる。

これを実現するには水力発電所が必要となる。鉱山は山間が多いので川を利用して発電所を作り水力を電力に変え鉱山の変電所まで高圧送電する。この電力でモーターを運転し、白熱球を点灯する。

電力は産業革命のエネルギーである。ここで使う発電機や変圧器や水車やケーブル、遮断機等すべて高価な舶来品で貧しい日本は産業革命を進め文明開化を実現するため莫大なコストを欧米に支払うことになる。

欧米企業から技術導入するためには高いロイヤリティを払い、その上様々な制約を受けさらに高給取り外国人技師者を雇わねばならぬ。ならば独力で開発し国産化する……浪平は電気機械製造業を興そうと構想していた。

日本を欧米並みの強国にするには産業革命が必要である。国産で最高水準の電気機械をどこより安く生産すれば欧米を駆逐し世界に輸出できる。国富流出を防ぎ国富を増やす。世間はこんな話をしても本気にしない。自分でやるしかない。

しかし強いのは浪平の意志だけで事業を興す資金どころか75円の背広さえも月賦で購入した。電気事業の経験もない浪平がこの山中へ入る目的は、発電所建設工事の経験を積むためであった。

小坂鉱山には親友の竹内維彦が入所していた。後年鉱山の至宝と言われた竹内は明治32年東京帝大工科大学採鉱冶金学科を首席で卒業した秀才で卒論は自溶精錬法であった。

竹内は小坂鉱山で必要な電力を確保するため計画中の水力発電所建設工事に浪平を勧誘した。大学３年の時、浪平と同じ金英館に下宿した片山正夫は浪平が夏季実習で小坂鉱山に入ったと浪平の想い出に記している。浪平は山形県両羽電気紡績株式会社の発電所建設工事に従事し明治33年５月16日付で慰労金50円を貰い賞状を頂いている。

50円は現在なら50万円相当で浪平が立派な仕事をした証拠である。浪平はこの水力発電所建設工事に従事して自信を深めた。この発電所は白岩発電所で同年に運転開始した。浪平は卒業前の夏この発電所と小坂鉱山の発電所建設工事を実習している。

ここで運命を決する久原房之助に遭遇した。20世紀は世界戦争の世紀であった。明治維新以降、日本は日清・日露戦争に勝利し世界の舞台に登場した。

さらに第一次世界大戦、満州事変、日中戦争から第二次世界大戦と戦争が続いた。世界戦争時代に銅は日本の重要な輸出産業となり戦争の度に銅価が高騰した。

この時代に足尾・別子・小坂・日立の四大銅山が栄えた。このうち久原・竹内・小平の3人が小坂と日立の二大銅山を開拓した。久原が経営を、竹内が採鉱・精錬を、小平は発電所・送変電・電気鉄道・土木建築など、インフラを担当した。その最初の遭遇が明治33年夏に起き銅山の大改革が始まった。

小坂鉱山は明治17年8月政府から藤田組久原庄三郎名義の27万円で払い下げを受けている。元々銀山で明治14年銀生産量日本一に輝いたが次第に銀生産も頭打ちとなっていた。明治24年房之助が藤田組の命を受けてこの鉱山に赴任した頃、旧式手掘りと銀価低迷により廃鉱寸前の状態にあった。

房之助は鉱山入りを当初から望んだわけではなかった。むしろ藤田組の番人になるのを嫌がり独立独歩の道を歩もうと考えていた。慶應義塾では福沢諭吉の論文「日米貿易前途の望み」の貿易立国論に感銘を受けた。森村組の森村市左衛門は父祖が豊前中津藩の御用商人であった関係で福沢の慶應義塾演説館に時々姿を見せ演説した。

市左衛門の森村組は日本の金流出を防止し伝統工芸品の陶磁器を外国に輸出する貿易商社のパイオニアで、日本の陶磁器を10倍の高価で輸出に成功した。

房之助は明治22年慶應義塾を卒業すると、翌年森村組神戸支店に倉庫係として月給10円の平社員で入社した。房之助は貿易商を目指した。

「金持ちの坊ちゃんに務まる仕事ではない」と門前払いされたが粘り強く交渉し神戸支店倉庫番で入り込んだ。房之助は決意したことは何としてもやり抜く粘り強さを持っている。残業もいとわず仕事熱心な房之助は倉庫番として忽ち頭角を現した。

程なく市左衛門の目に留まり2年後NY支店駐在を命ぜられた。そしてNYへ出発寸前、このことが明治の元勲井上馨侯爵の耳に入り、公の逆鱗に触れたのである。

「藤田組の宝を森村に出すな。取り戻してこい！」

井上公には社長の藤田伝三郎も房之助の父庄三郎も逆らえぬ。井上公の意に反すれば銀行からも毛利家からも融資が受けられぬ。藤田組がつぶれることは自明である。房之助は諦めざるを得なかった。そして赴任を命じられたのが小坂鉱山であった。

明治24年11月房之助は小坂鉱山に月給10円の平社員で入所した。鉱山事務所長仙谷亨は佐渡金山から藤田組に招聘された技術者で月給１３０円であった。

元々役人で官営鉱山に慣れた仙谷は経営不振といった状況には鈍感で、改革に目を向けず人員整理も坑夫の動揺を恐れ動こうとしない。

小坂は父庄三郎が払い下げを受けており後継の房之助に幕引きさせるという思惑が暗黙の裡に伝三郎にはあった。房之助は小坂の幕引きなどやれるかと反発した。鉱山を逍遥し休日など事務所玄関の柱を背に考え込む房之助の姿があった。

幕引きどころかこの鉱山を再建する。見て居れ！　小坂の銀鉱石は黒鉱の表層が酸化した土鉱である。銀山はこの土鉱から銀を精錬する。その下層に眠る無尽蔵の黒鉱は複雑鉱で金属含有量が小さく銅や金銀を分離するには多量の燃料が必要でコスト高となり採算がとれぬ。黒鉱は無用の鉱石とされた。

何とかならぬか……房之助は鉱山再建の活路をこの黒鉱に求めた。石油が燃料資源の主流になる以前、石炭は黒ダイヤと呼ばれた。石炭は空気中の酸素と反応し燃える燃料資源である。

黒鉱を燃やせばよい。燃やせばその灰に銅や鉄、亜鉛、鉛その他わずかに金銀など金属成分が残る。その灰を精錬する。房之助は黒鉱を鉱石として小坂を銅山に再建する夢を捨てなかった。

時代の流れは銀より銅である。戦争が起きる度に銅価は高騰する。明治日本の主力輸出品は絹と銅である。銅は国を支える重要な資源であった。銅を輸出し外貨を稼ぐ富国隆盛の道を拓く。

房之助の想いは若い現場技術者にも伝わる。明治29年海外で自溶精錬に成功したニュースを持ってきたのは小坂の技術員青山隆太郎と米沢万陸であった。

調べるとスペイン南西部リオティントで明治５（１８７２）年以来、硫化鉱を自溶精錬し世界有数の銅山として栄えているではないか！　……これだ！　世界に成功例があるではないか！　黒鉱で成功すれば日本初ということになる。房之助は興奮した。大森鉱山にいる溶鉱炉に詳しい武田恭作を呼び寄せた。武田は東京帝大採鉱冶金学科を首席で卒業した秀才で明治26

年藤田組大森鉱山に入所していた。

「原理は同じ。我々でやろう！」となった。武田の推薦で明治32年入所したのが後輩の竹内維彦である。

竹内入所前年の明治31年元旦、黒鉱乾式精錬の火入れ式挙行。24歳で小坂に乗り込んだ房之助は30歳の春を迎えた。この年の銅生産は３６０トンで設備を増強した32年は８３０トンに伸びた。

竹内の自溶精錬は硫化物が発熱反応で燃焼し金属成分が溶出する乾式精錬である。

黒鉱は閃亜鉛鉱・方鉛鉱・黄銅鉱からなる硫化物であり高温で酸素を吹き込めば発熱反応で亜硫酸ガスが発生し金属成分が還元され溶出する。

竹内は実験を重ね、燃料費をほぼ旧来の10分の1にする乾式精錬を開発した。明治日本を世界有数の銅生産国にした竹内が『鉱山の至宝』と仰がれた所以である。竹内は日本の鉱山業に大革命をもたらしたのである。

先述の通り坑内の採掘を機械化し積出に電動巻揚機を用い輸送に電気鉄道を活用する。明治33年9月浪平は小坂鉱山に入所した。浪平は房之助が無用の鉱石とされた黒鉱を資源化し小坂を銅山として再建する壮大な計画に衝撃を受けた。これはまさに産業革命であった。その計画を実現するため竹内流自溶精錬の最新技術に更なる感銘を受けた。

そして浪平の担当は鉱山の動力源となる水力発電所を建設することであった。

旧設備近代化は鉱山開発の死命を制する。最新技術で生産力を10倍20倍に高める。旧式の手掘り採掘、人力による鉱石積出しや人手による運搬をやめる。

人力に代わり河川の水力を水力発電所で電力に変え鉱山へ送電し照明や動力に変える。電力でコンプレッサーを運転し圧縮空気削岩機で採鉱する。鉱石運搬は電気鉄道に変える。鉱石積出しは電動巻揚機を使う。その他様々な設備を電動化し鉱山を最新設備に近代化すれば革命的生産力が実現する。

一方竹内の自溶精錬は硫化鉱を高温で燃焼させ溶出した金属を精錬するので燃料は補助的に使うだけである。これで燃料費は10分の1になる。竹内の自溶精錬と浪平の鉱山設備電動化を実現すれば鉱山に産業革命が起こる。

小坂鉱山の150kW、3450V1号発電機は明治30年運開しさらに33年500kW、3450V2号機を増設する。この年入社した浪平は米代川支流大湯川の水力を利用した。事業拡張に伴い電力増強のため2号機を増設し1号機と2号機を並列運転し、3450Vを11kVに昇圧し650kW、11kVを16・5km送電する。2機の交流発電機並列運転は日本初である。また11kV送電も当時としては記録的であった。

明治32年郡山市絹糸紡績会社が猪苗代疎水を利用して発電所を建設し850kW、11kVを22km送電している。小坂はこれに次ぐ記録的発電所建設工事で、新入りの浪平はこれを見事に成し遂げた。これが浪平の初仕事である。浪平は発電所工事の総指揮を執った。

水力工事は水路・水圧管・水車・調速機がある。電力工事は発電機・励磁機・変圧器据付け・所内配電盤・送電線工事が、水路工事は堰堤・取水口・制水門・隧道・鉄樋・水槽・放水路・沈砂池の設置工事がある。

東京帝大という日本の最高学府を出たとはいえ浪平はまだ20代の若者である。これだけの広範な工事をトラブルなく工期を守り、機械性能を発揮するように工事設計し指揮することは１００人中１００人が不可能ではなかろうか。

入所時浪平は電気技師兼工作課電気係長事務取扱を拝命し月給70円と支度金も支給され背広代金も支払った。35年12月電気課長兼配電係長に昇進し月給85円となった。

20代の若者が記録的発電所建設の総指揮を執り見事に運転開始にこぎつけたのである。浪平は朝から晩までどころか夜中も考え知恵を絞り現場点検し自分で納得するまで考え抜いたのである。

浪平は学生時代から造船所、電気鉄道、発電所などを見学している。また千島海峡の海底ケーブル工事に従事し自分にはこれができる自信があると日記に記している。これらの経験もプラスにはなったが信じられぬ異能の持ち主であることを証明した。

ただ浪平が残念に思ったのは発電所の重要機器がすべて欧米の高価な舶来品であったことである。水車はフランシスタービン８５０馬力３６０ＲＰＭ、米レッフェル社製。調速機自動油圧式横置はＨ型、米ロンバート社製。発電機は交流５００㎾、３４５０Ｖ、３相60Hz、米ＧＥ製。励磁機・変圧器も米ＧＥ製。高圧碍子は米インペリアル社製である。

価格は自転車が５００円、自動車５０００円の舶来品時代である。ラフな試算であるが当時銅トン５００～６００円、鉄トン60～90円である。

電気機械は銅鉄のカタマリでこれに電気工学で付加価値を付け製品化すると超高価な舶来品同様となる。自動車価格から類推すると電気機械はトン５千～1万円である。このような超高価な舶来品を外国から輸入していてはいつまでも欧米に追い付けぬ。最高レベルの電気機械を国産化し安く作り欧米を駆逐する。浪平は壮大な日本の産業革命を構想した。銅を原材料として欧米へ輸出してはならぬ。

銅から電線を作りコイルを巻き発電機やモーターや変圧器や遮断機や高圧ケーブルを作る。国内の発電所から送電線まで国産で作る。今まで輸入していた舶来品の電気機械を国産化する。そうすると国内に莫大な技術者や熟練工が必要となる。つまり内需拡大である。電力はこれから益々重要になってくるのでラフに見積もっても30万人の雇用が生まれる。家族を入れると１５０万人の生活を支えることができる。

電力を得るには水力を利用する。日本は山が多く水力資源に恵まれており、これを利用すれば電力を永久にタダで利用可能である。最強の日本を実現するには電力エネルギーを水力にして長距離送電し需要地の都市部へ送電する。従来の石炭石油を止めれば都市部は煤煙も減り市街はキレイになる。

浪平は口には出さぬが日本を世界の強国にする電気機械の製造業を興そうと考えていた。

房之助は浪平以上の粘りと力量を発揮した。社長が廃鉱のため整理委員会を設置し拒否した再建策を、入院中の井上公に直訴して援助を求め投資資金の捻出に成功した。通常あり得ぬことだが房之助は会社幹部が拒否した再建策で小坂を銅山として再建し日本大躍進の基礎固めをしたのである。

鉱山は山師の仕事と評判が悪いが銅山は明治日本を支える大事業であった。改良に改良を加えた新方式による銅精錬は明治35年6月から始まり、この年およそ3千トンを生産し翌年は３７００トンが見込まれた。

銅価は明治30年１００kg49円が35年73円99銭と50％上昇した。

さらに明治39年藤田組の小坂・大森・大地三鉱山の銅生産は７０７３トンに伸びた。小坂鉱山の莫大な収益は経営危機に瀕した藤田組の救世主となった。

明治36年秋社長の藤田伝三郎が小坂を訪れた。

「よくやった。国のため、藤田組のため存分にやれ」

と激励したが翌年1月房之助は突然大阪本店勤務を命じられた。

何かあるな？……房之助が不審な気持ちを抱いたのも無理はない。伝三郎は房之助が莫大な収益を生み出す小坂を私物化せぬかと心配になったのである。

房之助は不本意な気持ちのまま37年2月、住みなれた小坂を住民たちに見送られて去った。

しかし、まっすぐ大阪へ帰らなかった。気持ちが落ち着かなかった。半年間東京にとどまり7

月に大阪本店へ帰った。もう藤田組に留まる気持ちは消えていた。

「本店鉱山課長兼売買課長」

これが房之助に授けられた仕事であった。房之助は月給取りのヒラ課長になった。小坂の後任は伝三郎の長男平太郎が就任した。莫大な収益を生み出す小坂を長男平太郎に任せたのである。

房之助が下山するひと月前に浪平も37年1月小坂を離れた。何があったのか。

浪平は同族経営藤田組の理不尽な人事を目の前に見たはずである。

房之助は慶應卒業後貿易商を目指し森村組に入社したがNY渡航寸前に辞めさせられ、藤田組小坂に赴任し見事小坂を銅山に再建した。しかしその道も中半でまた小坂を去ることになった。

現場の先頭に立ち獅子奮迅の指揮を執った房之助に浪平はかける言葉がなかった。

この頃、日本は中国大陸で満州と朝鮮を巡りロシアと対立し、明治37年2月8日、日本は旅順港のロシア艦隊を攻撃した。9日仁川に陸軍第1軍が上陸。10日ロシアに宣戦布告し日露戦争が始まった。ロシアは世界最強の陸海軍を持つ大帝国である。日本は勝算の少ない戦争に追い込まれ開戦した。

この国家存亡の危機に藤田組の伝三郎は何を考えていたのか。藤田組は戦時用物資部材を扱う関西の大手企業で国の公器である。公器を経営者の私利私欲で動かしてはならぬ。

後年、愛国の武士である浪平は伝三郎とは真逆の経営を貫いている。伝三郎は浪平にとり反面教師だったのである。

2 旭日昇天の日立村

明治37年7月房之助は大阪の藤田組本店に戻った。

「藤田組本店鉱山課長兼売買課長」

小坂再建の功労者であり藤田組の経営危機を救った房之助を小坂から切り離し、伝三郎の膝元で遊ばせておく狙いであった。小坂の後継所長には伝三郎の長男平太郎が就任した。伝三郎は房之助を本店のヒラ課長にして力を削り落とし藤田家の家憲を創り藤田組財産を自分の手に……と考えていた。

藤田家憲の要諦は藤田組の財産管理を藤田宗家の嫡子が独占しその他を除外するものであった。

房之助はこの家憲に猛反対した。

「暖簾は実力ある者が継ぐ必要がある。武家のように世襲はすたれる。商人が

鉱山王　久原房之助

出典「ウィキペディア」

藤田組を離れた房之助は久原家の総資産を投入。廃鉱寸前の小鉱山を日本屈指の大銅山に改革し日立村の山中に理想の鉱山都市を建設した。

力を持てたのは実力ある者が引き継ぎ世襲を排除したからです。

将来、どこの子孫がよくなるか解らぬ。この家憲は伝三郎の、伝三郎による、伝三郎の為の家憲ではないか！」

房之助は信念を曲げることができなかった。結局38年12月、井上公の裁定で、小坂鉱山の資産評価額1892万円のうち久原家は分配金473万円を10年間の均等払いで受け取ることになる。房之助は藤田組から離脱した。

＊　＊　＊

房之助が現日立市の赤沢鉱山を知ったのは明治37年暮れである。小坂から本店に帰り課長職に就いた頃、偶々小坂所員の溝口為之進が房之助を大阪の家に訪ねてきた。

「赤沢鉱山が売りに出ています」

と言う。経営者の大橋真六が公害問題に手を焼いて鉱山経営にイヤ気がさしたらしかった。江戸時代に始まる赤沢鉱山は明治に入り政府直営となりすぐ民間に払い下げられ、次々と人手に渡り明治34年大橋真六まで9人を経ている。政府直営を始め誰が経営してもうまくいかなかった小鉱山であった。

房之助は下手に資金投入できなかった。赤沢にどれほど鉱脈があるのか。今回の分配金473万円を基にすべての財産を投入し独力で事業を興す覚悟であった。

「藤田組より得たる総資産すべて蕩尽するも可。男子無為に一生を送る可からず」

剛毅で覇気に富む父庄三郎は房之助に訓辞を贈った。

庄三郎は隠居の身であり資産分配金の久原家に入る４７３万円すべて鉱山買収に充てることに異存はなかった。

明治38年春、小坂の竹内が欧州旅行からの帰途に休暇という名目で鉱石分析の専門家を率いて茨城県多賀郡日立村に乗り込み、鉱山及びその周辺をくまなく調査して、すでに発見されている鉱床のほか数十件の露頭を発見した。その規模の大きさを将来有望と見て房之助に買収を進言した。房之助も竹内の鉱床調査に同行した。自分が精魂を傾けようとする鉱山の山容を見ておこうと思ったのである。

房之助は太平洋に昇る陽光を前面に浴びる鉱山の山容がひどく気に入った。旭日昇天、日立村はまさに陽が立ち昇る場所だった。

直ちに大橋と売買交渉に入り房之助が押し切り30万円で契約したが大橋の不満が収まらず、別契約で追加払いし42万7千円を支払うことになった。こうして房之助の新たな挑戦が始まった。

日本が世界に躍進したこの時代、廃山に等しかった小坂、日立の両鉱山を日本有数の銅山に再建した天才事業家は如何にして生まれたのか。その生い立ちを探る。

＊　＊　＊

房之助の生涯はその原点を久原家10代祖父半平にさかのぼる。半平は文久3年12月6日不慮の死を遂げている（古川薫『惑星が行く　久原房之助伝』日経BP）。

久原家が最も栄えたのは10代半平時代で士分に取り立てられ大型船2隻を有する廻船問屋を営み、主家の金融を預かるご用商人で浦庄屋という村役人も務めた。須佐は長州藩永代家老益田家の自治領である。

こうして家運隆盛の最中に凶悪な事件が起きた。主家の益田三郎左衛門に招かれ宴が終わり帰る途中、待ち伏せした暴漢に襲われ暗殺された。人々は後難を恐れ近寄らず、首と遺体は朝まで放置された。

心光寺の住職が聞きつけ首を持ち帰り遺体を村人に寺まで運ばせた。

清廉な資質を謳われた半平に天誅が下されたという噂が広まった。誰かが噂を流した。狭い土地柄で犯人の目安はついたが人々は後難を恐れ口を閉ざした。

半平を継いだ庄三郎が不満を抱いたのは益田家の理不尽な措置である。藩士分のご用商人が暗殺されたのに加害者の探索に消極的で主家から、「半平は士分でありながら無腰とは不覚悟、よって士分およびお役目剝奪」という冷酷なものであった。

産物から金融まで一手に仕切るご用商人久原の膨張は益田家には許容の限界を超えていた。暗殺の背後に支配者のドス黒い思惑が渦巻いた。支配者の権力を握るとは言いながら武士階級は財政を仕切る商人に悪意を向けていた。当主が暗殺された久原家に同情はなかった。

久原家11代庄三郎は家族を連れ須佐をはなれ城下町萩へ移住した。手元に残ったわずかな財産を基に新天地を開拓し久原家を再興する覚悟であった。

半平42歳の時、嫡子のない半平は近くの教宣寺住職に「剣難の相あり、出家なされよ」と言われた。萩の豪商、義兄の田村金右衛門の次女文子を養女に迎え、萩の醸造業藤田半衛門の次男庄三郎と夫婦にした。久原家11代が庄三郎である。須佐をはなれる庄三郎に従い文子も郷里を捨てた。文子は心光寺から遺体を引き取る際は病臥の夫に代わり白装束に短剣を忍ばせ寺へ出向いた。もし刺客が現れたら刺し違える覚悟であった。

萩の城下へ移る準備中、益田家から思いがけぬ知らせが来た。久原の身分を士籍に戻し改めて浦庄屋、ご船頭の身分を与えるというものであった。益田家の財政管理上、久原の存在に改めて気付いたのである。

「最早、益田家に仕えることはお断り申し上げる！」

庄三郎は拒絶した。文子も同じであった。

房之助はこのような両親の艱難辛苦の最中、明治2年萩の城下町で生まれた。幼少から賢く向上心ある房之助を庄三郎は久原の後継者に期待し文子は養父半平の生まれ変わりと信じていた。

久原家再興を願う庄三郎と文子の心情を朝夕に感じながら房之助は幼少の日々を送った。

庄三郎は廃業した酒屋を買い取り、事業を始めたが商売にならず、さらに醤油醸造業に転じ、これも失敗した。この頃萩の人口は明治に入り半減し城下町から周防の山口に移住していた。

明治6年庄三郎は萩に見切りをつけ妻子を萩に残したまま弟伝三郎を頼り上阪した。お家再興どころか食べていけなくなった。久原家は天国から地獄のドン底へ突き落とされた。

この頃房之助は5歳で生活の厳しさは自然に理解した。文子はどうこの時期をしのいだのか。養父半平の無念の死が文子の心を離れることはなかった。

「久原家を再興し父母を幸せにする」と願う強い思いがのちに鉱山の大事業に成功する房之助の胸に累積した。こうして天才事業家久原房之助の胸の奥に長州久原家10代半平の商魂が宿ったのである。

＊　＊　＊

明治38年の日立村は370世帯、人口2400人の寒村である。資産分配金473万円は10年均等払いである。これを担保に井上公の口利きで三井銀行から50万円の融資を受け、鴻池銀行からも融資を受けた。

12月21日登記を済ませ26日に鉱山名を日立鉱山として開業した。鉱山従業員はそのまま引き継いだ。混乱をさけるため小坂からは堀哲三郎ら数名にとどめた。

明治39年2月第1竪坑の開鑿に着手、4月中里発電所建設に取りかかる。房之助は作業服を着て現場に立ち、自ら指揮した。明治39年手掘り採掘と旧式精錬法で260トンの銅生産を翌年は780トンと3倍に上げた。鉱山の近代化には小坂にいる竹内維彦と東京電灯で世界トップの55㎸高圧送電を担当する浪平が必要であった。

採鉱精錬を竹内の自溶精錬で近代化し燃料消費を10分の１にする。鉱山の生産設備を最新設備に近代化し銅生産力を10倍にするため浪平の水力発電が必要であった。竹内と浪平というキーマンのスカウトが日立鉱山の死命を制する。房之助は２名のスカウトを始めた。

ところが39年５月鴻池銀行の目付け役として初代所長に神田礼治が着任した。房之助とは無縁の男であった。触れ込みは東京帝大工科大学出身で鉱山経験があり鉱脈断層の権威ということであった。神田は佐渡金山以来の郎党20名を引き連れてきた。房之助とは対照的に事務所の机にフンゾリ返り何かにつけ房之助の考えを素人の浅知恵とこき下ろした。こんな野郎が所長の椅子に居座っては日立鉱山も終わりである。何ともムシの好かぬ男で房之助は困り果てた。

さらにこの男が40年３月日立鉱山の将来が真っ暗になる爆弾宣言をしたのである。

「誰が調査したか知らぬが誠に残念！　この鉱山の先行きは絶望的である！」

調査したのは竹内維彦である。鉱石分析員を引き連れ鉱山周辺までくまなく調査し将来有望と房之助に進言した。神田の爆弾宣言は竹内の調査結果をアザ嗤うような話であった。同年３月神田は日立鉱山の鉱脈が尽きたとサジを投げ郎党20名を引き連れ鉱山を去った。

この男は房之助が精魂込めて始めた大事業を潰すために現れた裏切り者であった。藤田組の回し者という噂もあった。しかし、このあと、

「久原さんが困っている。助けに行こう！」

と房之助の人格に触れた小坂勢が続々と小坂からやって来た。神田が郎党20名を連れ去ったため30名足らずになった従業員は、米沢万陸、青山隆太郎、角弥太郎らが加わり総勢50名を超えた。第2代所長に竹内維彦が就任した。39年10月東京電灯の世界最高55kV高圧送電の偉業を捨て房之助の力になるため浪平が工作課長として加わった。

41年2月井上公が日立鉱山を視察することになった。鴻池銀行専務理事原田三郎が随行する。神田礼治がどんな報告を鴻池にしたか、ほぼ想像はついた。

明治41年3月大雄院精錬所建設工事第1期の起工式を行う予定で井上公の視察は起工式前の実情調査であった。房之助は、「断層は覚悟の上である。この山の鉱脈が尽きることは絶対ない。竹内を信じて掘り続ける」と従業員を激励した。

井上公の視察も無事に終わり3月に第1期の起工式を終え11月大雄院精錬所の火入れ式。29日は新築溶鉱炉に火入れし良好な結果を得た。

そのひと月後12月30日房之助の厳父庄三郎は大雄院の操業開始を見届けるように京都別邸で永眠した。祖父半平暗殺から43年であった。明治40年10月27日大雄院―助川駅の電気鉄道が運転を開始した。製銅ほか資材や日用品の運搬を開始。大雄院―本山鉄索も加わり産銅量は買鉱も含めて増大した。

各部門の設備増強、第5竪坑貫通、巻揚機据付け、坑内電車開通、精錬所大型化（29万4千トン）、出力4MW石岡発電所稼働など近代化による生産力増強が業界でも注目された。大正4

年上期の生産額は金銀銅の生産で日本一となった。
金、日立３３３kg、佐渡２９１kg、松岡２７２kg、串木野２４１kg。
銀、日立19トン、小牧12・９トン、田子内１・２トン。
銅、日立５９３９トン、足尾５５３０トン、小坂３９９１トン。
また日立鉱山の最近４カ年の製銅高は、

明治44年　５６９４トン
明治45（大正元）年　７８３５トン
大正２年　９８０５トン
大正３年　１万３０４トン

となった（綿引遠山、酒井鋒滴『日立鉱山』酒井正文堂）。当時の日本経済はアメリカ恐慌の余波を受け明治40年以来の慢性不況にあったが在庫が減り始めた。44年まで長期に亘り50kg30円が明治45年は40円65銭と３割値上がりした。

日露戦争から第一次世界大戦へ、鉱業界は大資本による独占化が目立ち、明治38年の投資額４千万円が明治末には２億円と5倍に達した。生産規模が巨大化し個人企業から株式会社へ三菱、大倉、住友など同様の動きを見せ財閥資本による産業体制が完成した。

大正元年9月房之助はこの流れに乗り個人経営を近代化し資本金1千万円の久原鉱業株式会社とした。房之助は将来益々事業を発展させ社員と共に恵福を分かつため臨時賞与70万円を社員全員に贈与した。勤続5年以上の社員に株式を与え、5年未満には現金預り証を与え5年に達したら株式に引き換えた。

明治45年1月1日職制を改め8課17係を11課21係とした。この中に後に浪平の日立で活躍する工作課の六角三郎や庶務課の角弥太郎、小坂から来た買鉱課米沢万陸、精錬課青山隆太郎の名前が見える。

房之助は人材を高給で優遇し役職400名中、学士約30名、高専卒70名である。技術革新に力を注ぎ、従業員全員を家族同様に考えた。従業員家族を含め房之助流の「一山一家」主義を実現した。住民2400人の寒村山奥に人口はその7倍の鉱山都市が生まれた。

一般の扶助規則支給金の他に遺族保護規則を作り、殉職者が鉱夫頭又はそれに準ずる者には上限月30円。小頭又はそれに準ずる者は上限月24円。それ以外を上限月18円とした。

鉱山の本山と大雄院の2カ所に鉱山医院設置。医員10名、調剤師事務員10名、産婆看護師20名。患者1日平均500名。診療無料で低廉な薬価とした。

役職者400名従業員7千名。鉱山計1万6千名。戸数4千戸。役宅を本山、大雄院、満城内、芝内に設け鉱夫や単身者に合宿所と長屋を用意した。供給所を本山と大雄院、芝内、助川駅前の4カ所。日立村以外の22町村に8213円、大正5年は13万2600円寄付。

本山、大雄院の３等郵便局で公衆電話と長距離電話電報を取り扱い鉱山事務所と私設電話でつなげた。図書室や玉突き場、道場、矢場、調髪所も設置した。教育は本山と大雄院に尋常小学校２校、職員24名23学級。お寺は真宗本願寺と禅宗大雄院。娯楽施設と安息日を設け劇場は２カ所で月３～４回歌舞伎演劇など無料にし集会所も設けた。

７月15～16日は全山上げて山神祭りで賑いを見せた。

芝内停留所東に日立鉱山農林試験場。煙害の試験や農事の改良を行う。福内に１町歩蔬菜栽培、駒王に１町歩穀物類栽培、繁十に８反の水稲栽培の各試験場。樹林苗圃を石神村５町歩と隣接する採種畑10町歩。気温、風向、雨量を調べ煙害に強い樹木や蔬菜、穀物の研究を重ね改良した。こうして亜硫酸ガスに耐える植物の大島桜、アカシア、黒松、檜、矢車附子を工場や社宅に植え結果の良かった大島桜を５町歩の苗圃で育成し大正３年から12年かけて２００万本煙害を受けた６５０町歩に植林した。

このころ煙害担当の角弥太郎は総長である房之助に尋ねた。

「総長は農民に補償して解決するつもりですか、それとも補償しないつもりですか」

房之助は答えた。

「勿論、補償し解決するつもり。そのため日立鉱山が潰れても良いと思うとる」

房之助の回答は明快であった。煙害問題を解決せぬ限り日立鉱山の発展はあり得ぬ。

「それではこのお役目、お引き受け致します」

角は重大な役目を引き受けた。創業時明治39年260トンの生産が年9千トンから1万トンと増大した。当然亜硫酸ガス排出量も生産に応じ増える。大正3年には被害は太田町など4町30カ村に広がった。明治44年延長1636mのムカデ煙突を作ったが効果なく、大正3年高さ36m直径18mのダルマ煙突も効果なくアホ煙突と称された。

鉱山の未来を決する難題に遭遇した房之助は昼夜をわかたず煙突の白煙が山肌を這う情景を思い描いた……これだ！　天にとどく大煙突を建てよう！

150か200mか。やってみねば解らぬ。煙突を高くすれば煙は地表に届く前に天空に広がり消える！　成功すれば日本のため、鉱山業界のためになる。

房之助は鉱山設計課に150m大煙突設計を命じた。本社調査部の宮長平作に総指揮を命じた。宮長は東京帝大工科大学土木工学科卒の新進気鋭の工学士である（後年日産土木社長を務め明治41年4MW石岡発電所水路建設工事担当）。

大正3年3月13日工事着工。足場用丸太材3万1650本。延工数3万6840人日。総工事費15万2218円。9カ月後の12月20日完成した。

角弥太郎手記。

「待ちに待った火入れの時が来た。この日は天気晴朗、今か今かと煙突の頂上を眺めていた。火が入った！　すぐもうもうと煙は立ち昇り上に上にとどこまでも高く天空に上昇しひとつの雲を描いた。そして煙は空中に飛散した。これを直視し日頃の悩みが一瞬に去った。涙がこぼれた。私はいまだかつてこんな喜びを味わったことは一度もなかった。……」

世界一の大煙突は長い間煙害防止の使命を果たした。この成功により大分佐賀関に１６６m大煙突が建設され、さらに大正６年アメリカのワシントン州タコマ精錬所に１７３m世界一の大煙突が建設された。房之助は旭日昇天、日立村の山奥に１万６千の住民が幸せに暮らす理想郷を実現した。

＊　＊　＊

買鉱、買山、多角経営が軌道に乗った明治45年、房之助は母文子の供をして祖父半平50年忌法要を営むため山口へ帰省した。母の意思に沿う房之助の孝養は幼少時の辛苦の時代に母に護られた体験からで、この帰郷にはふたりの兄と行事のため数十人随行した。

汽船をチャーターし久原波止場を造成し汽船に自動車数台を積み込んだ。一族は自動車に乗り菩提寺浄蓮寺で半平50回忌を営んだ。築港広場に仮建物3棟を建て、能楽、軍楽隊、舞踊、酒食物、模擬店を設け高齢者、村会議員、地元有力者５００名を集めたが空席が目立った。村民に謝意を表すため1戸5円全世帯２０００戸に寄付し、育英小学校全児童８００名に文具を、神社仏閣貧窮者にも寄付した。萩でも催事をした。毛利城跡の指月公園で70歳以上の高齢者を招き銀杯を贈呈した。神社仏閣に寄付、萩中学校生徒に奨学金設置、実科高等女学校の開校費用全額3万円を寄付した。

大正6年実科高等女学校に特別奨励金を設定した。萩町高等学校に3万9千円寄付、下松工業創設費33万円寄付。房之助は母親文子の望む通りに寄付した。

半平の魂を癒やすように文子は村民、高齢者、児童、女学校、高等学校に高額の寄付をした。半平暗殺から50年。房之助が見事に久原家再興を成し遂げ、故郷に錦を飾ったのも事実であった。

房之助の胸の奥には長州須佐の御用商人、久原半平の商魂が宿っていたのである。


この頃浪平は鉱山の修理工場から国運隆盛、産業振興を目指し日立製作所を創業した。経費を節約し製品原価計算を確立し独力による電気機械の開発、国産化を目指し所員全員と共に火の玉となって奮励努力した。事業で得た利益は浪平個人のものではなかった。従業員の退職に備え資金を積立て製品開発や設備投資に資金を回し、不慮の時に備え社内留保した。人間は誰しも運命に逆らうことはできぬ。


浪平は故郷に錦を飾るとか巨万の富を手中にするようなこととは全く無縁であった。ひたすら国運隆盛のため社員と共に事業を拡大した。

浪平の胸の奥には質実剛健、質素倹約、情け深い野州武士の魂が宿っていたのである。

3　武士は己を知る者のために死す

小坂の山中から上京した浪平は本郷の東竹町順天堂脇に住居を構え小坂から連れてきた書生とシゲの３人で生活を始めた。シゲは惣八の連子であるがチヨはシゲも儀平の嫁チカも我が子同様に愛情を注いだ。そのシゲが浪平の身の回りの世話をするため上京した。

郷里で中学を終えた弟の勲が浪平を頼り上京し英語学校に入学した。勲はノンビリ屋である。

浪平は高等学校を受験すると言う弟に「もし今年合格しなかったら来年は高等工業に切り替えるがよい」と言った。中

1930年頃の日立鉱山

出典「ウィキペディア」

房之助が日立鉱山を立ち上げるため浪平に助力を求めた。浪平は東電の世界的大容量高電圧送電の仕事を辞して39年10月日立鉱山に入所した。

学時代テニスに熱中し学業を怠けた勲は兄の言葉にギクリとした。直ちに猛勉強を開始し3カ月後無事熊本高等学校理科に入学した。

浪平は勲の顔を見てプレッシャーをかけ奮起させたのである。浪平のひと言がなければ勲は勉強に熱が入らなかった。

春になると母チヨが上京した。もう嫁を貰わねば……と身を固める催促であった。

浪平は広島水力電気に赴任が決まっていたが、学友の鹿島精一の媒酌で同じ学友小室文夫の妹也笑と5月16日挙式し、28日広島水力電気に赴任し広島市金屋町11番地に住居を定めた。

当時也笑はまだ18歳で旅の経験もなく広島弁が解らず女中との会話に苦労した。浪平が1年限りで赴任した広島水力電気は明治32年広島第1発電所出力９００kWを建設し、広島へ26km、呉まで９kmの中距離送電の時代を迎えていた。

日露戦争当時であり呉軍港に近く、広島は兵士や関係者の宿泊や物資輸送で人口が増え混雑した。浪平は配電部長という営業職に就いた。

この夏は数年来の旱魃で市中の電灯は蛍の光のように弱く苦情の電話が毎日掛かってきた。この中に広島水力電気が電力を供給する某電灯会社は、毎月の料金を滞納し更に料金値下げを要求する始末で関係部署でも手を焼いていた。配電部長にも魚心あれば水心と誘惑し買収すら持ちかけてきた。電力を供給する広島水力と電力使用者の間に入り仲介料の値上げを要求したのである。浪平は考えた。ガツンと一発、この理不尽な問題を解決する方策はないか。

浪平はある日、上司にも相談せず部下に命じてその会社への送電を遮断した。途端に広島の一部が真っ暗となり市電も止まり大混乱となった。最も困ったのが当の電灯会社で滞納料金の皆済を条件に詫びを入れてきた。状況を冷静に判断し実行した浪平の奇策で無事一件落着した。電力会社と顧客の間に入り仲介料を要求する会社は事業発展の障害となる。営業に別会社が入ると供給先と顧客の間に壁を作ることになり時には致命傷となる。

後年日立と同業の芝浦は三井物産、三菱電機は三菱商事、明電舎は守谷商会が営業権を持つ。日立の営業は工場と顧客を結ぶ重要な役割を果たすとして浪平は大正２年、西日本と海外販売のため大阪事務所を開設し、３年８月には本社販売係を設け池田亮次を販売技士とし営業を強化した。家庭にたとえれば工場が主人なら、営業は妻の役目である。それを他人に頼んではダメ、致命傷となる。

大正７年房之助の久原商事が設立され、日立営業権要請の申し出があったが浪平はキッパリ断った。広島水力電気での苦い経験が生きたのである。

久原商事は銅を売る営業で、日立とは製品の複雑さが異なる。創業時営業は他社に委ねるという意見も多かった。製作所は製作に専念しろ、難しい営業などできないと言外の叱責である。久原商事発足当時は特に営業権の要求が強かったが、浪平は営業も自分でやるという信念を曲げなかった（妻を他人に渡してはならぬ）。

まだ日立が独立する前で工場もうまくいかず製品もまずい、設備も不完全でやるべきことが山積する。そんな中で浪平は工場を高尾に任せ東京へ移住した。営業担当の大谷が病没した。浪平は営業の難しさを早くから認め大谷のあとを自ら引き受け采配した。

営業は市場の中心地にあり工場は市場から遠い地にある。その特長を発揮し連絡を密にして素早く行動する。難しいと考えず努力したことが日立発展の一大要因であると後年高尾は回想している。

＊＊＊

明治38年が明け、中国大陸では難攻不落の旅順要塞が203高地からの砲撃で陥落した。春になり日本軍は満州の奉天に入場した。

海上ではバルチック艦隊来襲の報に東郷司令長官率いる日本連合艦隊は対馬沖に集結し待機した。日本の存亡をかけた日本海海戦が始まる。

浪平は広島水力1年の任期が近づいていた。妻の也笑は5月初旬に出産予定であったがまだその気配がない。止むを得ず5月10日浪平は駒橋発電所建設工事のため単身上京した。

そして大阪に着くころ女児が誕生し東京に着くや電報を受け取った浪平は「百合子」という名前を也笑宛てに送った。2カ月後愛児は也笑の母、也笑、陳平に伴われ上京し、赤坂の新居で父親と対面した。浪平はその喜びを日記に付け始めた。そのはしがきに戦争の最中にしかも広島で生まれた愛児が如何に生い立ち如何なる運命を担うのか後日の楽しみと記した。この年

2月に日露戦争が始まり広島は軍事上の重要拠点であった。

浪平が小坂を去った最大の理由は、米国で5万～6万V高圧送電に成功したというニュースに触れたことであった。

同様の高圧送電を東京電灯が山中湖を水源とする桂川駒橋発電所で計画しており、その成否は日本の国策に関わる大事業であった。この工事の顧問は中山秀三郎、中野初子、古市公威で中野は大学時代の師であり電気学会の会長も務めた。古市公威は工科大学の学長である。浪平は人脈を通じてこの世界最先端の大事業に参画した。

東京電灯は産業用電力や電灯の需要増に伴い需要の多い市街地に火力発電を増設し対応してきたが、日清日露戦争の影響もあり炭価が高騰し、また市街地のため行政の監督が厳しくなった。

米国で5万～6万Vの高圧送電に成功したことにより東京電灯は建設中の千住火力発電所出力を50％減じて４５００kWとし、桂川に駒橋発電所を建設し高圧で需要地へ送電する計画を立てた。明治29年の火力発電は東京電灯ほか24社に対し、水力は琵琶湖疎水を利用した京都水力電気他８社である。

明治39年日露戦争後は火力６万６千kW（48社）に対し、水力2万5千kW（59社）で、火力は水力の３倍である。水力発電は会社数が増えたが1社当たり出力が４２３kWと小さい。

駒橋発電所出力は1万5千kWで従来水力の半分以上に相当する。駒橋は長距離送電により石炭火力に代わり今で言う再生エネルギーによる火主水従から水主火従へ転換する国家的大事業であった。発電機は3相交流３９００ｋＶＡ６・６kV５００ＲＰＭ６基の独シーメンス製である。変圧器は油入水冷２ＭＶＡ６・６kV１次６・６kV２次57kV米ＧＥ製11基である。送電電圧55kVで76㎞を早稲田変電所まで送電する。

早稲田変電所ではＧＥ製単相油入水冷１８００ｋＶＡ１次50kV２次11kV変圧器11基によりシーメンス製の地下ケーブルで市内変電所へ配電する。明治39年着工し41年竣工、総工費５９０万円、延べ人員1万人、２年余りを要した。

東京電灯での浪平の地位は送電課長で、東京電灯という大企業で世界最高水準の高電圧送電を担当すれば技術者としてこれより上はない。学友が羨望する絶好の地位というのも当然である。

小坂で発電所建設工事を担当した時と同様、浪平は駒橋発電所と送電線路と早稲田変電所、市内各地の変電所を巡回し指導した。

一方で先述の通り欧米メーカーはそれぞれに外国人技術者を派遣してきた。しかし彼らは仕事の熱心さで浪平に敵わなかった。

浪平が55kV長距離送電を自力でやれる確信を持ったのも事実である。肩書は配電課長であるが外国人の通訳代わりを務めるのがイヤになっていた。

＊　＊　＊

浪平はもうひとつ問題を抱えていた。生活費である。弟の勲は熊本高等学校に進学し学費と生活費を浪平が仕送りした。駒橋発電所に在勤することもあり生活費が余分に嵩み、この頃は余程生活が苦しかったようで弟の陳平と節約のため住居を替えようと休日に空き家を探し翌年2月市ヶ谷53番地に転居した。

そしてたまたま明治39年7月15日浪平は飯田橋から中央線甲府行き列車に乗り込んだ。ここで偶然にも大学時代の親友渋沢元治に出会った。

元治は「日本資本主義の父」である渋沢栄一の甥に当たる。郷里埼玉から上京し第一高等学校に入学、工科大学時代に海底ケーブル設置工事のため函館へ行った7人中の1人である。

元治は33年電気工学科を卒業すると足尾銅山に入社したがすぐ辞め、35年5月栄一の海外旅行にお供した。一行は米英独と渡り、元治はシーメンス工場で実習し、スイスチューリッヒ工科大学で聴講生として1学期間水力発電の講義を受けた。

その後イタリア、パリ、ロンドンを経て再度米に渡り、セントルイス万博を見物し恩師鳳秀太郎の代役で電気館審査員を務めた。10月はＧＥの工場で実習し、ハーバード大学で英語講習を受け、ＷＨ工場とモンタナ発電所を見学し38年12月帰国した。

大変失礼であるが、元治はこのように蝶々が花の蜜を吸うように彼方の花から此方の花へと飛び回り本当に実力が付いたのか。聖徳太子でもない限りこのように欧米を飛び回るだけでは実力は付かぬ。欧米の大学や大企業で修業したという名誉と肩書が付くだけである。

さて帰国後の元治は5月に逓信省電気試験所に入所した。日露戦後日本の電気事業は急成長した。その事業会社の電気設備の検査・監査をするのが試験所強電部門の技師の仕事である。元治は国家的大事業である駒橋発電所の主任検査官に選ばれ、当日飯田橋駅から中央線甲府行きに乗り込んだ。

浪平は「折り入って話したいことがある。今日は猿橋で一緒に泊まってはどうか」と元治を誘い2人は大黒屋に泊まることにした。朝からの雨も夜には小止みとなり2人は桂川の流れの音を聞きながら話し込んだ。2人の会話を要約する。

①浪平。久原氏から日立鉱山の電力方面を担当してくれと誘いを受けている。親しくしてもらっており行きたいと思っている。

②元治。水力発電、電力普及は国策とすべきである。浪平は世界一の高圧送電を担当しこの技術習得は国策遂行の第一歩で電気を志す技術者が羨む絶好の地位である。これを辞め鉱山の仕事に移ることは賛成できぬ。駒橋発電所55kV長距離送電の成功により我が国の電力を火力から水力へ転換する。日本は温暖多雨で山岳が多く水力資源は豊富にある。しかも石炭火力と異なり再生エネルギーである。このプロジェクト成功により浪平の名声は高圧送電の権威として天下に鳴り響くはずであり将来も保証付きである。高圧送電で博士号を取得し大学教授になるも電灯会社の経営者になるも望み通りのはずである。

③浪平。国策とすべきは勿論賛成。しかしやる仕事は外国から電気機械を購入し各社から技術者を雇い据え付けるだけで誰にでもできる。先生の教えを覚えるのは難しいことではない。自分はこの電気機械を日本で造るようにしたい。

④元治。もっともだが高圧の機械を造るのは短期間でできぬ。そうすると日本の産業発展が遅れる。今は輸入し早く電力を豊富にすると他産業も急速に育つ。鉱山の仕事はたかが機械修理である。

⑤浪平。修理に甘んずるも仕方がない。しかし経験を積めば自力で造れるようになる。

元治は恵まれた環境に育ち伯父栄一の薫陶を受け外国で実習や見学をした。元治の発言は教科書通りの一般論としてもっともな意見であった。芝浦や三菱のように外国メーカーの技術を導入しロイヤリティを払い外国技術者の指導を受けるのが早道と主張した。

しかしこれでは外国メーカーのヒモ付きになり、様々な制約を受け日本は二流に留まるだけである。それ以前に浪平に技術導入資金などあるはずもなかった。浪平は元治と育った環境が違った。

東京電灯に留まり地位を得ても電気事業を興すことはできぬ。人に羨まれてもそれだけのこと。浪平には何の価値もなかった。博士の名誉も大学教授の肩書も経営者の名声も虚飾。国のため電気製造を外国に頼らず奮励努力し独力で開発し国産化する。

房之助の修理工場なら努力を重ね電気製造業を興すことができる。努力は母の教えである。他日の計謀為さざる可からず。浪平は祖母ヨシの遺言を片時も忘れなかった。高給を出し秀才を集め技能者の腕を磨き外国に頼らず、自力で電気製造業を創業する。今に見ておれ……浪平には胸の奥に強固な信念があったのである。

房之助は廃鉱に追い込まれた小坂に自溶精錬技術を導入し日本一の銅山に再建した大事業家である。その房之助が今度は久原家の資産すべてを投入し自力で日立鉱山を立ち上げる。房之助には小坂鉱山で大成功の実績がある。成功の決め手は優秀な2人をスカウトすることである。竹内を呼び寄せ自溶精錬により燃料コストを10分の1に下げる精錬の大改革を実行する。浪平をスカウトし水力発電所を建設し鉱山電化を進め生産設備を最新式に近代化する。

これをやれば鉱山の生産力は10倍20倍に増する。竹内と浪平なら小坂で仕事をした同志である。やるべきことも十分解っている。房之助は鉱山所員の混乱を避けるため赤沢時代の所員をそのまま引き継いだ。活気ある現場を作るため房之助は現場の先頭に立ち陣頭指揮した。

ところが明治39年5月融資元の鴻池銀行から目付役事務所所長として神田礼治が乗り込んできた。しかも20名郎党を引き連れてきた。

神田が所長に居座れば竹内が存分に仕事がやれるとは思えなかった。鴻池は融資元で神田を追い出すこともできぬ。

浪平が房之助から日立鉱山の電気担当の要請を受けたのはこの頃である。房之助と浪平は小坂で旧知の仲であり互いに心情も解る。浪平は東京電灯で世界レベルの仕事をしており、先の見えぬ小鉱山にスカウトするのでそれ相応のことはすると房之助は言った。房之助はまさに浪平の助力を必要としていた。

「武士は己を知る者の為に死す！」

浪平は久原の日立鉱山へ入所する決意を固めた。日立鉱山へ入社時、浪平と共に石岡発電所建設工事を担当した宮長平作は浪平の心境をこのように浪平の想い出集に記している。房之助は浪平が社会に出て最初に出会った経営者であり、廃山に等しかった小坂を日本屈指の銅山に再建した経営者である。その房之助がいま浪平に助力を求めている。武士は己を知る者の為に死す！

工作課長として浪平は多忙を極め、脚絆に草鞋姿で戦場のような職場を巡回指揮した。渋沢との大黒屋会談から３カ月後の明治39年10月、東京電灯を辞し浪平は日立鉱山に入所した。

朝６時から夕方６時が定番で、浪平は足が速く助川駅から本山まで２里半の山道を１時間半で歩き、息切れもせず現場巡視も次々と行った。

電気機械や機械設備から土木建設、住宅建設まで総指揮を浪平はひとりでこなした。常人にはとてもできる仕事ではない。大雄院の精錬所建設工事は山を崩し谷を埋める大工事で、建設工事を統轄する浪平の指揮は各々に分担を命じるだけで指図がましいことはせず、その人の創意工夫に任せた。教えを請われれば丁寧に教えるというやり方で、そのため各人はみんな一生懸命で昼休みの昼食時間も惜しんで働いた。そして夜に日をつないで工事を進め、ほぼ出来上がった高さ40尺の溶鉱炉が6月23日午後1時頃、大暴風で基礎から倒壊した。工事が続けられるのか関係者は顔色を失い動揺した。浪平は誰も咎めず直ちに復旧工事を命じた。

そこへ庶務課長の角弥太郎が工作課にやって来た。お見舞いに来たのか「よかった、よかった、誰もケガなく幸いだった。アッ、ハッ、ハッ」。

途端に浪平はグイと角課長を睨み、そのままひと言も発しなかったので、その場に居た人たちは顔を背けた。なぜ浪平は角課長にひと言も言わなかったか。それが解ったのは後のことである。浪平の想い出集に也笑夫人がこの時のことを書いている。

……助川におりましたある日、大暴風がございまして折角半ば出来上がった精錬所が倒れ、ケガ人死人もあり浪平が心配して右往左往の有様、あまりケガ人死人など耳にしませんので私は只ウロウロするばかりでした。その後に建てられたのが現在のコンクリート建と存じます。

また気遣われたケガ人もなく東洋一を誇る大煙突も出来上がり皆さまも喜びに溢れておりました。それから次々新しい建設もなり遂に日立製作所が設立されました。これにつきましては「わが国で使う機械は我らの手で造らねばならぬ。日本人は決して外国人に劣るものではない。機械も出来ないのではなく造ろうとしないのだ」と申しておりました。

精錬所建設工事の関係者が青くなり、この先どうなるのか不安になったのは当然であった。しかし久原の総資産を投入した国家的大事業をここでストップするなどあり得ないことであった。すぐやるべきは工事関係者を安堵させ復旧工事を指示することであった。このことがあって也笑夫人の言葉通り精錬所建設は近代的鉄筋コンクリート建ての頑丈な建築にグレードアップした。

さらに工事関係者全員が油断は禁物と心を引き締め、東洋一の大煙突も諸々の建設工事も無事に進んだ。浪平は事業の存亡を左右するような難題が発生した時、一発で解決する。広島水力発電では某電灯会社の不条理な要求を電力遮断で見事に解決した。大正7年には久原商事による日立営業権要請をキッパリ断った。久原商事は3カ月後倒産する会社だった。

浪平は工事関係者を誰も咎めず、すぐ復旧工事を英断した。後年日立創業後も幾度も災難に見舞われたが担当者を咎めることはなかった。災難を天の警告と受け止め次の発展の契機とし従業員を激励した。

この事故の後ひとりの大学生が浪平の元へやって来た。山川教授からの紹介状を携えたのは工科大学電気工学科高尾直三郎で、後に浪平と生涯を共にした運命の出会いである。

東京帝大工科大学土木工学科を終え41年夏赴任した宮長平作は、秋に浪平から川尻十王川の調査を命じられた。地元の百姓から「こんな小さな川より磯原の奥に石岡川という大きな急流があるがあれなど発電所ができるのでは……」と聞いて日立に帰り浪平に報告すると「では早速調べてみよう」となった。

二人は11月末、磯原から十数キロの山奥に分け入り、ついに石岡川のほとりに辿り着いた。そして横川滝という懸垂十数メートル川幅いっぱいに流れ落ちる滝を発見、その壮観に驚いたがそれ以上に大水力源を発見し万歳を叫んだ。電力不足を解消する大発見であった。この石岡発電所は44年夏運転を開始した。使用水量120立方尺有効落差540尺出力4MWである。

新設する大雄院精錬所の電力需要に応ずるため1MW仮発電所を建設し、850HPフランシス水車を但馬製作所、GE製1MW3・5kV 60Hz交流発電機を据え付けた。宮長に1年遅れて入社した高尾が送電を担当し42年夏着工、43年1月竣工、27kV高圧送電で20km離れた大雄院精錬所へ送電した。本格的発電はGE製3MW発電機を据え付けた。3MWは駒橋3・5MWに次ぐ大容量機である。水量120立方尺、水路1500間大部分トンネルで有効落差540尺、出力4MW大容量発電所で総工費32〜33万円、1kW当たり80円と日本一安上がりである。浪平は水利権取得、設計から工事まで自分で責任を持って完成した。

＊　＊　＊

明治43年の年が明けると浪平は久原に収支計算報告書を提示し製作所への出資を申請した。これは日立製作所の創業の提案書である。

資本金総額9万円：内訳
工場起業費5万1753円50銭、在来物件2万1500円50銭、営業資金1万6736円
支出（月）6984円：内訳
工作費5034円、設計及び監督費600円、販売費500円、資金償却（10年）750円、雑費100円
収入（月）8450円：内訳
製品販売代8450円
差し引き利益1466円
資本金に対し年1割9分5厘

房之助がどういう態度を取ったか。当時日立鉱山の事業は莫大な利益を上げていた。それに比べ電機製造業は比較にならぬ薄利であり、余力ある資本はすべて鉱山事業に投ずるべきである。電気機械などに投ずるのは愚の骨頂といった反対意見もあり、なかなか険悪な雰囲気が漂っていたと修理工場に専念した飯島祐吉は回顧録に書いている。

所長の竹内は浪平の電機製造の起業提案に同意した。しかし房之助は乗り気でなく寧ろ嫌がった。そこで竹内は久原に自分の考えを述べた。

「小平は只者ならぬ事業家の能力を備えている。吾が部下で終わる男ではござらぬ。小平提案を受け入れるべきである」

「小平の起業意志は強固であり、この提案を拒否すれば彼は他で起業の道を探す。彼はここを去ることになる」竹内はさらに続けた。

房之助は藤田伝三郎の家憲が原因で兄弟が分立したことを思い出してドキリとした。竹内はさらに続けた。

「自分もこの提案に同意した以上、拒否されれば責任を取らねばなりませぬ」

「何？　責任を取る？　竹内もやめるのか！」

「吾も四国の武士でござる。武士に二言はござらぬ。責任は免れぬ！」

竹内は右手を腹に当てて切腹する仕草をした。

竹内はこれくらいの芝居はできる男であった。房之助は青くなった。浪平と竹内が去った日立鉱山はお終いである。想像しただけで恐ろしかった。

竹内がこれほど言うなら致し方なし。房之助は元就の「3本の矢」をキープした。

「解った！　小平提案を認可する！」

房之助に浪平の提案を認可させたのは四国武士の竹内の侠気であった。竹内はこのことを生涯遂に誰にも口外しなかった。こうして浪平悲願の日立製作所が創業した。

4

最強の野武士団創成

明治の四大銅山、足尾、別子、小坂、日立の内、小坂と日立は房之助が立ち上げている。小坂は廃鉱寸前の銀山に無尽蔵にある黒鉱に目を付け、東大工科大学採鉱冶金工学科の秀才で自溶精錬法の卒論を書いた竹内維彦を得たことが事業成功の決定要因であった。

更に鉱山を最新設備に近代化し、水力発電の電力で銅生産を10倍20倍に上げた生産力増強が決め手となった。竹内と浪平は房之助成功の両輪の役目を果たしたのである。事業化の成否は人材で決まった。

房之助は優秀人材を高給で待遇し、日本の最高学府東大工科大学の最優秀人材

高尾直三郎と馬場粂夫

出典『日立製作所史１』

優秀人材を高給で優遇し要所に配置し鍛えに鍛え磨き上げた。営業、設計、製造、試験、研究。製造は鋳物、機械、電工、工程。技術者と熟練工の育成。互いに協力する和の力。奮励努力、不撓不屈の精神を有する最強の武士団を創成した。

をスカウトし実力を100%発揮できる環境を整えた。小坂で月給10円の房之助は、役人上がりで月給130円を貰いながら廃鉱の危機に鈍感な仙谷所長や小坂の幕引きを図る藤田組幹部に反発し井上馨公に直訴して資金を捻出した。稀有の事業家であり粘り強くやり抜く力がある。浪平が電機製造業を興すには房之助以上に最高の人材を集め鍛える必要があった。浪平は日本一の電機事業を興すことを胸に秘めている。最終的にアメリカのGEやドイツのシーメンスを捉え世界一の電機メーカーになることが狙いであるがそれは決して口外せぬ。浪平の方針は、日本の最高学府である東大工科大学電気工学科の優秀人材を月給70円でスカウトする。つまりこれより上はないのである。京都帝大ほか工科大学の優秀人材を同様にスカウトしこれを会社の原動力に据える。

専門分野毎に優秀人材を配置し、この人材を仕事で鍛える。失敗は成功の元であり真面目に努力して起きた失敗は咎めぬ。玉磨かざれば光なし。

事務系大卒は月給40円、高等工業卒35円とした。新技術を開発し日本一を目指す企業であり優秀人材を鍛えに鍛え磨きに磨き日本一の技術者集団を創成する。企業は製品を世に出して戦う集団である。精神を鍛え技術を磨き互いに協力する集団を創れば無敵の最強武士団が生まれる。当時の大企業である東京電灯は高等工業学校卒が初任給27円で浪平の所はそれより3割高い35円である。現在の通貨価値にすると35万円くらいか。工科大学卒の初任給70円は70万円くらいか。浪平が優秀な人材の確保に最重点をおいたことが解る。現代で言うならAIやITハイテク関連の新技術分野の技術者はこれくらいの月収を貰うだろう。浪平が創業した頃、電気工学はそれほど鮮度が高かったということである。

浪平は元々質実剛健・質素倹約を本分とする。何でもカネをムダに使ったりはせぬ。住宅建設は丸太木造の掘立小屋で杉皮葺の屋根でやっと人が住める程度である。工場も丸太木造のトタン屋根、これで建設コストが大幅に減り工期を短縮した。住居や工場はこれで我慢した。旧来の生鉱吹精錬を刷新した自溶精錬の大規模精錬所は幅14間長さ45間６３０坪で、日本初の巨大鉄筋コンクリート建築で近代的精錬所のシンボルとした。

浪平は常に新しい試みをする。設備費のムダを省き安上がりで仕事が早く堅実である。出力４MW石岡発電所の鉄筋コンクリート径５尺長さ８７１尺水柱44尺の水圧サイフォン管は日本初で、発電所の建設費も１kW当たり80円と日本一安上がりであった。

大学卒業後、小坂の止滝発電所（水車８５０馬力５００kW交流発電機）の建設工事に従事し、この時の発電機の写真が『小平さんの想ひ出』にあり「只今は我国最大にござる」と注釈がある。仕事始めから浪平が記録に挑戦したことが解る。小坂で次に手掛けた扇平発電所は水車にロンバートガバナーを用い、これも日本初である。

浪平は常に新技術に挑戦する。このような仕事ぶりを浪平は最強の野武士たちにやって見せた。人材を育てる最高の方法は実践である。互いに協力し智恵を出し議論し実践する。しかもこの人材たちは日本の最高学府東京帝大を始め工科大学トップクラス、日本の頭脳である。

■続々と最強人材の入社

日立村の山中に活力に満ち、ヤル気満々、未知の分野に挑戦する野武士団が産声を上げた。41年夏、宮長平作は工科大学土木工学科を終え日立鉱山に入所した（後に世界一の大煙突建設の指揮を執り日産建設などの社長を務めた）。

41年夏、高尾は実習生として鉱山に入り浪平の指揮振りに衝撃を受けた。実質的に日立鉱山の最高幹部であり浪平の胸奥にある壮大な構想に感動した。42年1月から3月まで実習し7月卒業し入社した。そしてすぐ浪平命により石岡1MW発電所から大雄院精錬所まで27kV 20kmの高圧送電を担当した。発電機は浪平が担当しＧＥ製1MW3・5kV交流発電機を据え付けた。水車は浪平が設計し但馬製作所に外注し成功したので以降鋳物を内作することにした。

浪平は工作課本来の仕事をやりながら副業的に電機製造、カーバイド製造、水力発電所建設の仕事に手を付けた。特に水力発電所は力を入れ常磐地方の水力が鉱山で余るかもしれずこれを東京に送電する計画も立てた。東北、中国、四国の水力発電地点を調べ各地に水利権を出願した。カーバイド製造は高尾に命じパイロットプラントを作り実験して千kW電熔炉で扇印として売出したが、鉱山が予想以上の大事業となり余剰電力がなくなり半年でやめた。電力余剰があれば電気化学分野でも浪平は成功したと高尾は回想している。

水力発電は鉱山が大きくなり資金はそれに回すのが房之助の方針である。それに各所で電力事業が興り折角の水利権も使わず終わった。しかしこの事業も資金があれば浪平は成功した。

浪平はこの３事業を経営する能力を備えていた。後年電機製造からタテに事業を広げ化学材料や金属材料分野も事業化した。戦時中は政府と軍部の要請に応じ航空機や兵器など軍需品製造も事業化した。創業時カーバイド製造や水力発電所建設をやめたのは状況を判断しリスクを減じたのである。

浪平は父惣八が色々な事業に手を出し失敗した教訓を活かし電機製造に全力を投入した。43年3月工場を鋳物、仕上げ、電工の３部門に分け浪平の社宅にあるＧＥ製扇風機をまね30台作ったがギャップ調整がうまくいかず扇風機は回らず失敗した。そこで高尾が図面を引き５ｋＶＡ変圧器を初めて作った。ケースに鋳物を初めて使い成功した。

浪平は採鉱精錬以外全てを統括し電気の動力を用い合理化した。このためモーターが沢山使われたが鉱山は使い方が荒くモーターが焼けた。当時国産品はＧＥと提携した東芝だけで、あとはアメリカＧＥとＷＨ製であった。故障の度に原因を調査究明するので故障も少なくなり自分たちで作ることになった。高尾が設計しイギリス製鉄板加工機を導入し５馬力モーター３台作った。この成績がよく鉱山で使うモーターをすべて自家製にすることとし鉱山最大の２００馬力モーター製造に取り掛かった。期限を守るため奮励努力徹夜も度々したがなんとか成功した。

電機製造には鋳物、機工、電工の３部門必要である。

6月盛岡工業卒の宮出義雄が入所し鋳物造りに取り組んだ。宮出は勉強家で器用であり変圧器や電動機の鋳物が内製できるようになった。

７月工科大学電気工学科を優秀な成績で終えた馬場粂夫が入所。事務所長の竹内から「ここで製造事業をやろうと思う。日本にもボツボツあるが、ついてはＧＥを目標にしてもらいたい」と言われ馬場は大きな申し付けだと思った。浪平は高尾と馬場に「精錬所と本山で使う鉱山機械は何でも作れるようにしなければならぬ。ドンドンやれ！」と発破をかけた。

竹内と浪平は高等学校以来の仲であり、浪平の並外れた高い能力を認めていた。11月竹内の支援で工場建設に着手し12月完成した（以下この工場を山手工場と呼称する）。４千坪敷地に２階建事務所とコイル工場兼試験室、仕上げ、鋳物、木工、鍛冶、倉庫の面積１２６７坪である。経費節約と建物を丈夫にするため丸太材を使用し防火用に壁と屋根はトタンにした。

この山手工場のある芝内付近は鉱毒被害のため約10町歩の田畑が荒れたまま放置されていた。やがてこの荒地が50年１００年に亘り坪当たり生産高で莫大な富国隆盛の地になるとは想像もできなかった。周囲の人々は何をするのか訝しがった。

高尾設計の５馬力モーターや５ｋＶＡ変圧器の図面に社名を入れる必要がある。社名をどうするか。ストーブの傍で浪平と六角、高尾が案を練った。

日立、助川、多賀、色々でたが最後は浪平が「日立製作所」に決めた。太平洋に日が昇る。日立の字は中心線に左右対称の素晴らしい社名である。工場の建物が完成すると浪平は人材を鉱山職員から送り込んだ。高尾直三郎、平野俊雄、馬場粂夫、福本稔、宮出義雄、飯島祐吉、藤田勝等山手工場に移った。藤田は鉱山の調度係をしており、なかなかの敏腕家であり浪平に製作所の考えを聞いた。浪平はこう答えた。

「俺が鉱山を去り丸太小屋の工場に立て籠もるのはお前たち青年には少し解り難かろう。しかし俺には相当の決心がある。日立鉱山は君の見る通り隆々たる勢いだ。俺の工場は今でこそちっぽけだが製作事業として鉱山より大きくする意志がある。そのため君のような明敏な人材を必要とする。是非行動を共にしてほしい」

工場周辺の住民も鉱山の職員も浪平の胸の奥にある壮大な事業構想、つまり電機製造の創業を理解しなかった。

しかしこれは当然かもしれぬ。事業家房之助でさえ、そのような薄利のものに投資するのは愚の骨頂と言っている。しかし、浪平には自信があった。

この山手工場の4千坪は以前は田畑である。今は荒地で収穫はゼロであるが仮に米を生産すると4千坪でどれ程の収入になるか。当時のカネで米1俵5円として1反（300坪）で5俵を収穫すると4千坪で収入300円となる。4千坪は一毛作であり、これが年収で農民はこれで細々と暮らした。この4千坪を電機工場にすると技術者と職工が毎日従事しモーターや発電機や変圧器を製造する。毎月重量で10トン生産は容易である。或いは50トンか100トン生産可能である。年当たり60トンから1200トン生産できる。大量の技術者や熟練工を高給で雇用し町は人口が増えて大繁栄する。

現在モーターや発電機は外国から輸入しており船来品で値段が高い高付加価値品である。この工場の売上は最低30万円から最大1200万円となる。一毛作農家の千倍から4万倍となる。しかしこれで終わりではない。山手工場はホンの駆け出し序の口であり、常磐線沿いに新工場を建設し最低でも総面積400万坪くらいの工場群を創成し、産業革命を日立村からスタートする。

「太平洋工業地帯」を建設する。日本を農業国から先進工業国に変えるのである。モーターや発電機はその武器になるから幾らでも必要である。もし余力があれば東南アジアや中国・満州・朝鮮・台湾に輸出する工業立国である。

浪平は日立村から日本の産業革命を構想した。そしてやがてGEやWHやドイツのシーメンスに追い付き世界一を狙った。誇るなら誇れ、嗤うなら嗤え、天公は吾を知ると信じていた。壮大な構想を胸の奥に秘めていた。

六角三郎が来山したのはこの頃で、日露戦争に陸軍中尉として従軍し八幡製鉄を経て高田商会の技術者であった。ソフト帽を被りハイカラシャツにスーツ、立派な髭を生やす。高田商会はWHの東洋代理店で、六角はコンプレッサーを鉱山に据え付けに来たが、その仕事ぶりと誠実な人柄を見て房之助が高田商会に頼み鉱山に入社した経緯がある。六角は後に日立の役員となり日立造船社長を務めた。浪平と同じ明治7年生まれで東京高等工業学校機械科卒である。経験豊かで見識ある六角に色々と教わり浪平は電機製造に自信を深めたのであった。

生糸と製銅は明治の主要な輸出品であり外貨を稼ぐ重要産物であるがこれらは素材資源であ

る。生糸を国内で織物にして着物や工芸品に加工し付加価値を付け輸出する。

和服や着物は日本独自の文化である。独自の文化で生糸に付加価値を付ける。こうすれば国内に新たな美術工芸品輸出産業が生まれる。富国隆盛の道が開け外国の顧客に日本発の和風文化を届けられる。

同様に製銅は素材資源をそのまま輸出するのは愚の骨頂である。銅を国内で加工し電線やケーブルを作り、さらに電気工学の叡智を注入し発電機やモーターや変圧器など電機製造業を興す。国内で使用する電気機械をすべて国産化すれば国内に莫大な高付加価値産業が生まれる。

更にその余力を用い輸出産業を興すのである。ＧＥやＷＨやドイツのシーメンスにペコペコ頭を下げて教えを乞うのか。それも高いロイヤリティを支払い土下座して教えを乞うのか。実積のない者が大きな顔をして大言壮語しては世間の物笑いになるだけ。浪平は寡黙となった。実力を見せるだけで充分である。

電機製造業を創業する。創業資金を提供する房之助に感謝した。竹内の友情と支援がなければ創業はできなかった。浪平は創業へさらに強い決意を固めたのである。

一方、房之助は破竹の勢いで快進撃を続けた。42年の製銅量３９００トンは前年比倍増である。売上２３０万円は現在価格で約２３０億円である。45年７８３４トンを記録し久原鉱業に日立製作所が発足した。

大正６年銅生産３万７千トン、純利益１８００万円、配当５５０万円。翌7年に株式会社化して90万株を発行し資本金7500万円となった。

＊＊＊

大正3年3月日立鉱山に高さ155・7mの世界一の大煙突工事が始まり12月に完成した。この工事の最高指揮官が浪平と共に石岡川の横川滝を発見し4千kW発電所難関の水路建設を担当した工学士宮長平作である。足場木材3万1650本、延べ人員3万6840人、工費15万2218円をかけた鉄筋コンクリート大煙突は9カ月後12月に完成した。

この年7月第一次世界大戦が始まり前年10kg27円の銅価は4年に46円、5年は75円と急騰した。4年久原が開発した鉱山は吉野（秋田）、諏訪（茨城）、甲山（朝鮮）など31にのぼり、大煙突が日立と佐賀関に聳えた。側近の話によると久原の財産は2億6千万円くらいか。三井財閥の半分以上に達した。

浪平提案の現金出資は6万円である。房之助が財産の1％を出資すれば、さらに人材を集め、強力な事業立ち上げが可能となる。また水力発電所建設も事業化し日本の産業振興を加速できた。生糸を織物に加工し、日本の伝統文化である浮世絵柄の和服を世界に売り出せた。森村組は日本伝統の陶磁器輸出に成功している。東洋の神秘の国ジパングは西洋と異質の文化を有し西洋人に受けるのは間違いない。

フランスは香水やファッションや宝石で有名である。イタリアは靴や手提げなど革製品が得意である。日本伝統の文化工芸品を輸出するアイデアが浪平に次々と湧いた。

莫大な房之助の資金を産業振興に投じ国力を倍増するアイデアが次々と浪平の心を捉えた。浪平は書画にもセンスがあった。しかし浪平は寡黙であった。

実積のない者が大言壮語しても物笑いのタネになるだけ。浪平は独力で電機製造業を創業することに全力を投入したのである。

明治44年4月営業責任者に大谷敏一が入社。大谷は明治36年東大法学部卒、大阪地裁検事代理、大倉組中国漢口支店長を経て久原鉱業入社のやり手である。スポーツ万能、囲碁、将棋、花札、酒も飲める。芸者遊びもできた。浪平の不得意な面をカバーする才能があった。大谷の初仕事は工場製変圧器20台を茨城電機に売り込んだことでこれが初外販の仕事であった。

44年7月入社の竹内亀次郎21歳は、前年入社26歳の馬場が設計した精錬所用４００kW直流発電機試験の手伝いをした。４００kW国産化は記録的であった。この設計を去年入社した馬場がやったと聞いて驚いた。GEの機械をまね設計したというが本当にできるのか？　直流機はカーボン刷子と整流子間の断続的接触面に大電流が流れ、当然スパークが出る。GEは長年の経験と研究を重ねスパークを抑えている。

幾ら東大の秀才でもこれは難しい。とても竹内など新米には何も解らぬ。馬場も高尾も頭を抱えた。昼夜を問わず直流機の前に座り込み検討した。徹夜を何度もした。鉱山から「機械の製作なんか止めろ！」と非難が上がった。

東芝のようにＧＥから技術導入すれば問題は解決する。

鉱山事務所長の竹内が山手工場に状況を見に来た。

「生産に遅れが出ている。何時発電機は完成するのか！　明日か！　明後日か！　何時か！

生産遅れを弁償しろ！」

竹内は浪平の創業を支援した所長である。竹内が怒った。

「この発電機は国内で記録品であり今までＧＥしか造れなかった。それを若手の設計技士が国産化に挑戦した。もう少しだ。時間を頂きたい」浪平は素直に謝った。

「何を言うか。ここは研究所じゃない。生産現場だ。自社で造れぬ機械の注文を取り性能が出ず納入できぬ。聞いて呆れる。生産遅れを弁償せよ！」

竹内は浪平を支援した所長であり、重要顧客である。顧客と喧嘩するメーカーはあり得ぬ。

浪平は素直に謝った。

「解った。弁償する」

浪平は顧客第一、納期第一主義をここで学んだのである。授業料は相当な高額となった。

しかしまだこれでも竹内の不満は収まらなかった。助川駅と大雄院の電気鉄道が10月から運転開始した。

「電気機関車モーターが壊れ、なかなか修理できぬ。資材輸送が滞っている。何時修理は終わるのか！」竹内は怒っている。

「鉱山電車モーターはＧＥ製である。輸送重量を規定より増やし酷使するとモーターは焼ける」浪平が答える。

「だから修理代を出さんとは言うておらぬ。修理に何日かかるか聞いている！」竹内は怒っている。

浪平は反省した。電車モーターの修理くらい2～3日でできる。注文を受けた電気機械は納期を厳守し性能１００％を保証する。日本一が目標でありこれで挫けるようでは話にならぬ。

浪平は平野を呼んだ。平野は東京高工を41年卒業し入社した。その前年に小坂で実習し職員たちに浪平の小坂での仕事振りを聞いて衝撃を受けた。これが大学出の新社員の仕事とは思えなかったのである。平野は大雄院の修理工場で電車モーター修理を担当した。

ＧＥ製電車モーターは修理が間に合わずあと1台となった。

「修理は何時できるのか？」

浪平はモーターの故障を恐れていた。

「10日かかります」

切迫した輸送状況など全く考えないノンビリした平野の回答である。

「３日でやれ！　人手をかければできる！」

「それは不可能です！」まだ平野は解ってない。

「３日でできる、３日でやれ！」

鉱山電車は助川駅―大雄院を結ぶ鉱山の大動脈である。

浪平の気迫に圧倒され、平野は職工を集め宣言した。

「できるまで不眠不休の稼働を強行する！」

「それぞれ仕事を分担してできた者は遅れた者を応援し三昼夜で完成する。賃金は10日分支払う、1日休ませる」

と言い足した。全員しっかり緊張し手抜かりなく独りの落後者も出さず二昼夜半の3日目昼に修理を終えた。

浪平に報告すると「やればできる」と穏やかにニッコリした。顧客要求を100％満たすのが日立の根本方針である。浪平も平野も大いに勉強になった。

＊＊＊

45年4月、倉田主税（明治22年生まれ）が仙台高工機械科を卒業し入社した。高尾が面接した。体格風采もよく言語明晰で只者ではないというのが高尾の印象であった。倉田は日立を望んだわけではないが先生が日立を薦めた。まだ創業早々で基礎もできてない方がやり甲斐があるという気もあり、助川から鉱山電車で工場に着いたのであった。

しかし着いてみると工場というより飯場のようで事務所は丸太造りでトタン葺きの掘立小屋。こんな所で電気機械ができるのか。エライ所へ来たと思った。

しかし工場はアメリカの西部開拓時代のような活気があった。日立の野武士団が産声を上げていた。

45年７月、京大電気化学科卒の吉岡藤作が入社。京都ガス会社を退社した秋田政一が入社。秋田は明治20年生まれ、工科大学機械工学科を43年首席で卒業した恩賜銀時計組である。

８月、池田亮次（明治19年生まれ）が工科大学電気工学科を終え入社した。

12月、同工科大学電気工学科卒の明治20年生まれの森島貞一が入社した。

大正３年茨城工業を卒業し入社した横田兼吉は浪平に「絶縁材料、電気刷子、碍子類など自分で研究を重ねる勇気があるなら何年かかってもいいからやってみるように」と言われ大変感激したが同時に重い責任を感じた。カーバイド工場の片隅にある12坪の小屋でワニスの試作中にボヤを出した。叱られる覚悟で浪平の所へ行くと浪平は叱らず「輸入品を是非自社製にしたい」と大方針を話した。

横田はこれしか自分の道はないと新たな決意をした。横田はこの新分野へ道を拓いた。絶縁物工場、電気刷子工場、碍子工場は後年日立化成に成長した。横田は後に電線工場長を務めた。

■徒弟養成所

房之助に収支計算書を提示して３カ月後の43年４月、早くも徒弟養成所がスタートした。職工を育成する教育機関で現場職工を熟練工に鍛え上げる。発電機とは何か。モーターとは。

変圧器とは。鋳物とは。コイル絶縁はなぜ必要か。現場職工に基礎から教える必要がある。電気工学がまだ庶民になじみ薄い時代である。電気機械の製造に従事する職工の腕を磨き、技を鍛え効率よくムダなく高品質、高性能の電気機械を造る。

工場見習い工36名を徒弟に編入し、助川中宿皆川館を宿舎に工場内に教室を作り学科と実習の教育を始めた。

翌年4月650余坪の敷地に251坪平屋寄宿舎を作り県下、近県から徒弟を募集し54名を採用した。授業料も寄宿費も無料で徒弟手当が支給され、卒業すると熟練工になるので応募者が殺到し選抜試験は難関となった。

履修科目は修身、国語、英語、数学、製図、鋳造、仕上げ工作、電気工作、金属材料。基礎的学問を勉強し現場実習する。やがてここから卒業生たちが現場に入り熟練工になり電気製品を世に送り出すのである。浪平は養成所の生徒を家族のように可愛がり時にはポケットマネーを与えた。

工場に「打込め魂仕事の上に」という標語を見かける。熟練工は製品に魂を打ち込む同志である。

高尾は次第に増える各部門の職員を教育。「電気工学大意」のシリーズ講話をした。発電機とは、交流と直流。周波数、速度、回転数。ファラディの電気の原理から始めた。電気工学が庶民になじみ薄い時代、日立の山奥で電気工学の勉強が行われたのである。

■工場試験

お客様は神様である。顧客に文句を言えば注文が来なくなる。顧客に回らぬモーターや発電機を売り付けてはならぬ。電気の理論は正しくても設計ミスや製造ミスは起きる。ミスが起きても不良品を顧客に渡してはならぬ。これが試験係の仕事である。試験係は神様に代わり製品を試験する。試験係の眼力がないと納入品が納入先で故障する。

大正７年試験係を課に昇格し初代課長を浪平が務め係長を高尾とした。製作所ナンバーワンとツーが神様に代わり職務に就いた。これくらいしないと納期に追われ試験が甘くなり不良品を出荷するからである。

大正３年７月京大理工科大学電気工学科を卒業した鎌居大蔵（明治22年生まれ）が入社し試験係に配属され７年係長になった。大した試験設備もないが製品の種類も容量も増えてくる。どうやって試験するか。知恵を絞る。

10年頃１MW 50Hz回転変流器の試験が必要となったが、工場には１５０kW電源用発電機だけである。鎌居は公休日に石岡発電所１MW発電機を50Hzで運転してもらい工場試験を行った。試験すると色々問題点がでてくる。問題点を研究し対策するため試験課内に研究係が設置された。

製品流れの最終が試験で、顧客に不良品を出荷せぬよう試験係は設備がなくても知恵を絞り工夫を凝らすのである。鎌居は言っている。

正式設備がなくても工夫すれば何とかやれるという信念を得ることができた。製品種類が増え容量が増えると必ず一方で試験設備に不足が生じる。工夫してどんどんやっていくことで成長する。そして次第に設備が全部揃うことになる。これを繰り返し我々は成長する。試験係はラストマンである。間違えたら切腹覚悟で試験をした。

■営業の強化

製品の流れは営業から始まる。営業は顧客との接点であり工場との接点になる重要な仕事である。この接点が異物化すると注文が取れぬ。営業は顧客と工場を密接に繋ぐ接点の役目を果たす。

大正2年西日本と海外販売を拡大するため大阪事務所を開設した。3年8月に販売係を設置し池田亮次を販売技士とした。

大正7年経済環境が大きく変動した。成金王としてメディアを騒がせた房之助の久原鉱業が経営危機に瀕した。世界大戦の終了を契機に銅価が暴落した。6年下期1800万円余りの利益が9年下期500万円の赤字に転落した。7年7月設立した久原商事も倒産した。7年10月浪平は久原鉱業の事業所である但馬製作所を合併し亀戸工場とした。

7年9月浪平が営業中心に据えた大谷敏一が40歳で病没。本社を東京に移し営業も東京に移した。大谷の後任は浪平自身が継いだ。

浪平はここという事態には自らその任に就いた。先に工場に試験係を課に昇格し初代課長を務めた。今度は営業大谷の後任を務めた。営業は顧客と工場を繋ぐ重要な職務であり７年には久原商事が設立され製作所の営業権を要望されたがきっぱり断っている。

他社の場合、芝浦は三井物産、三菱は三菱商事、明電舎は守谷商会にと、それぞれ販売を他社に任せている。顧客と工場の大事な接点に異物が入らぬようにした。浪平は自ら営業を担当し事業拡大に合わせ会社組織を合理的に強化した。

■図書室公開

７年１月庶務係付属の図書を公開し、だれでも自由に閲覧し勉強や調べものができるように図書室を発足した。

■特許・実用新案

世界一になるため特許でＧＥに対抗するようにせねばならぬ。浪平は馬場に特許出願を命じた。

大正２年近くに常磐炭鉱があり注文を取るため炭鉱用誘導電動機を研究した。坑内は湿気が多い、坑内粉塵の静電気による爆発の怖れがあり電動機を全密閉型にする必要があった。密閉すると温度が上昇するため外部通風による強制冷却型全密閉電動機を発明した。

この頃日本は勿論欧米にもこの要求を満たすものがなかった。実際に工作上の問題があり試作しなかったが浪平は馬場に出願を命じた。馬場は特許出願が初めてで教えを乞う先生もおらず出願は2年後の大正4年8月となった。しかしGEから同時に類似出願がありアメリカでのGE出願が日立出願より数カ月早く日立は後発となった。結局請求範囲をGEと重ならぬように訂正し出願した。馬場が半年で出願したらGEを打ち負かした。

大正5年10月電気学会一行が日立工場を見学に来た。そのあとライバル芝浦から「日立はGEの特許を侵しアルミニウム避雷器を造っている」と抗議があった。そこで高尾と大谷が芝浦へ行き説明を求めたがGE代理人の岸清一は「あの特許範囲について具体的説明はできぬ」と説明を拒否した。

浪平が調べた結果、GE特許に抵触しないことが解り、更にGEが日本で販売する避雷器に適切でない特許表記があることを発見した。浪平はGEとの抗争を決意した。GEに一撃を加えたいと思ったのである。

房之助に相談すると「アメリカの一流会社と抗争するのはよくない。円満解決の道を取れ」と言う。やむなく浪平は個人でGEを相手に抗争を始めた。

交渉は2年続いたが8年7月GEは浪平の申し出を承諾し解決した。浪平はGEを負かしたのである。

この大正8年児玉寛一が特許係担当を命ぜられた。児玉は馬場の下で設計もやり徒弟養成所で講師を務め数学を教えた。浪平は若い社員に大きな責任を持たせ鍛え磨き上げたのである。

■技術誌『日立評論』

大正5年東北大工学卒の宮尾蓧は入社2年目満州に出張した。鞍山製鉄所溶鉱炉に使うスキップホイストの設計を担当し7年据付け指導に渡満した。先方の技術者に歳を聞かれ24歳と答えると「そんなに若いのか。そんな設計では当てにならぬ」と言われたが仕事は見事にやり遂げた。宮尾は回想する。

『日立評論』を出すことになったのも設計会議が基で毎月届く『GEレビュー』と『WHジャーナル』は我々若い設計者のバイブルの如く銘々が丸善に注文し貪り読んだ。米国大陸横断鉄道電化をはじめ製鉄ミルや艦船の電化、高圧送電等に関する記事が盛んに出ていた。こんなのを我々もやりたいと設計会議で皆が言い出したところ、馬場さんも大賛成であったがなかなか決まらず催促した。

馬場さんが言うには小平さんが「一時の思い付きでやり、途中でやめるようでは世間の物笑いになる。ダメだ」ということだった。そこで必ずやり遂げるから再度頼んでくれということになり馬場も若い者たちのエネルギー発散のはけ口として再度お願いし認められた。宮尾ら20代の若者も社内全体にも知的欲求が満ち溢れていた。

7年から毎月1回社内外の専門家講演を開いた。講演者は鳳秀太郎、渋沢元治、機械学会長、八幡製鉄特殊鋼部長、陸海軍技術将校などの名が並ぶ。馬場は技術誌を社内誌と考えていたが浪平は「外部に出せるものを」と言った。メーカーとして後発日立の『日立評論』が技術誌の先駆けとなった。

九州の南端、時代の風が吹いた薩摩藩鍛治屋町の1万坪70戸には下級武士が住んだ。薩摩の教育は先輩が後輩をしごく郷中教育である。ここから藩主斉昭に重用された西郷隆盛が出て西郷に続けと次々と維新の立役者が出た。隆盛従道兄弟、海軍大臣首相山本権兵衛、連合艦隊司令長官東郷平八郎、陸軍大将黒木爲楨、陸軍大将元帥大山巌、維新の元勲大久保利通など十数名が明治近代化に活躍した。天才秀才続出は洋の東西を問わず。コンピューターサイエンス幕開け時代、オハイオ大学計算センターに潜り込みコンピューターの虫になったビル・ゲイツは仲間と共にコンピューターの天才になった。マルコム・グラッドウェル著、勝間和代訳『天才！　成功する人々の法則』にはビル・ゲイツほか9名の55年前後生まれの天才たちが名を連ねる。天才は環境が育成するのである。

こうして精錬所脇の掘立小屋の修理工場から日立村芝内の荒れ地に4千坪の山手工場が出現。野武士の頭領、浪平率いる秀才英才の若手が電機の国産化を目指し互いに刺激し、学び、鍛え、日本一を目指した。浪平率いる野武士団である。明治日本に大変な野武士団が現れた。

陣容は主事浪平以下作業係高尾、設計係馬場、庶務係大谷。職員33名、職工３６０名。３年前の職工５名から約80倍の人材が集まった。明治43年1月に久原鉱業所日立製作所のスタートである。

5

産業振興の源流

「他日の計謀為さざる可からず」……浪平の将来を信じ祖母ヨシが遺言した言葉である。医者の養子とか小さい会社の社長では終わらぬ。『報知新聞』に20世紀を予言した村井弦斎を訪ねた。弦斎は現在の時勢と将来の気運、我が国の国益上、電気工業の必要性を説き世人の迷夢を覚ませと説

世界最高水準15 MW55 kV駒橋水力発電所

出典『栃木市の偉人』

電力は産業の源流なり。日本は水力資源に恵まれるが発電所建設は資金を要する。発電所や工場で使う発電機、モーター、変圧器など作るだけなら丸太小屋で可能。浪平は電機産業の成長性を見込み自力で電機品の国産化を目指した。

いた。明治27年5月浪平21歳であった。

翌年テスラが世界初の交流発電所をナイアガラに建設し、誘導電動機を発明して交流発電の時代が到来した。弦斎はこの時期に庶民の迷夢を覚ませと浪平に助言している。電気とは何か。人々がまだよく知らぬ電気がこれから重要な技術になると浪平に説いた。さすが20世紀の予言者である。

弦斎の予言は的中した。英国に始まる欧米の産業革命は蒸気機関である。蒸気で機関車や織機を動かす。

次の電気時代が到来する。蒸気は石炭を燃やしボイラーで高圧蒸気を作る。我が国は石炭埋蔵量が乏しく何れ輸入が必要となる。蒸気エネルギー確保に国富を費やすことになる。

河川の水力を発電所で電力に変えこれを高電圧で需要地に送電する。日本の水力資源を電力に変えれば自然界の水力でエネルギーを賄える。

しかし発電機や変圧器やモーターなど高価な電気機械を輸入する外国依存では二流三流の国家にしかなれぬ。輸入する発電機やモーターは舶来品で高価である。この高付加価値品を外国に頼らず自力で開発し製造する。これで輸入を減らし国富流出を防ぐのである。最強の技術者を育成し輸入品を国産化する。大量の優秀な技術者、熟練工が必要となる。製造工場は一カ所で充分、発電所建設に比べ最低限の投資で済む。これなら房之助もノーとは言えぬはず。事務所長の竹内は同意してくれた。電気エネルギー時代が到来する。舶来品の電機を国産化し日本中に供給すると産業が振興する。電気が全国に普及し家庭や街に電灯が灯り工場はモーターの動力で機械化が進む。水力を発電所で電力に変え需要地へ送電する。輸入品を国産化すると産業が振興し国富を隆盛し我が国をアメリカやドイツに負けぬ国にできる。浪平は20世紀予言者が未来を語る顔を思い出した。浪平は弦斎が説いた電気工学を次のように実行する決意を固めた。

①世人の迷夢を覚まし世人がまだ知らぬ最新分野の事業を興す。電気機械は最新の工学である。

②これは我が国繁栄の原動力となる事業である。電気機械を利用し我が国を最先進文明国にする。

③大リスク大リターンの新分野事業である。

父惣八の失敗を教訓に人材を集め知恵を絞り全知全能を結集し事業に失敗せぬ。祖母ヨシに約束した「他日の計謀為さざる可からず」をこれから実行する。こうして浪平は大志を胸に秘め、最小限の予算で収支提案書を房之助に提出した。この控え目な収支計算書から浪平の世界的大事業はスタートした。

浪平はまず日立鉱山の電化から事業を始めた。圧縮空気削岩機を採用し、巻揚機をモーターで駆動し運送を電気鉄道にした。炭坑電化、製鉄の電化、化学工業の電化、家庭の電化。

電化は効率向上につながり日本の産業を振興する。浪平の事業構想は壮大である。事業が発展するほど国家が隆盛する仕組みである。

そんな中で鉄道の電化に浪平は特に力を入れて取り組んでいる。鉄道電化は日本の構造改革を伴う大きなテーマである。

日本の鉄道は明治５年新橋横浜間の開通以来二万数千キロメートルの鉄路を建設し、橋梁工事トンネル工事など土建業の発展を支え、レール需要により鉄鋼業の育成に貢献した。

蒸気機関は汽車製造が英国ＳＬのコピー機を作り国産がスタート。その後大正７年完全国産化に成功し幹線用ＳＬとして国際レベルに達しＣ51がデビューした。汽車製造に続き川崎造船所が参入し大正９年に日立、日本車輛、三菱造船などが鉄道省指定メーカーとなった。

設計は昭和３年Ｃ53が国鉄、汽車製造、川崎車両の３社、昭和16年Ｃ59は国鉄＋ＳＬ５社（汽車製造、川崎車両、日立、日本車輛、三菱重工）の共同設計となりＳＬが長距離輸送の主役となった。

他方、都市交通は郊外電車が大正時代に発展した。電車モーターと電気制御を欧米と提携した三菱（ＷＨ）、東芝（ＧＥ）、東洋電機製造（英ＥＥ）と並び、大正14年日立が独自の技術で国産化を果たした。

鉄道電化は鉄道省で大正８年頃から東海道本線全線の電化計画が立てられ、電化に必要な物資を発注したのは大正10年である。

鉄道省は基本的に国産品採用を考えたが、車両及び電機メーカーは大型電気機関車の経験がなく機関車はすべて欧米に発注された。

大正10年2月浪平は房之助が第一次世界大戦中に始めた日本汽船笠戸造船所を買収した。大戦が終わり銅価は暴落し大戦中に手を広げた久原商事は倒産し、笠戸造船所に注文はなく船1隻も造らず浪平に譲渡を申し出た。

浪平にアイデアが閃いた。電気機関車製造である。笠戸に川崎造船所で機関車を担当した学友の古山石之助がいた。古山は機関車専門家であり日立工場では馬場が電車モーターと電気制御を担当する。この機械と電気を日立と笠戸で分担すれば何とかなる。浪平はまだ日本では製造不可とされた大型電気機関車を鉄道省に頼み造らせてもらうことにした。鉄道電化は産業振興に重大な影響を与える。

浪平は鉄道電化の論文を書いた。日本の石炭埋蔵量は80億トンとされるが年々需要が増え年3千万トン以上消費する。その内370万トンを蒸気機関車が消費。余剰がある日本の水力発電の電力を使えば石炭を使わず有事に備え軍艦や輸送船用に備蓄することが可能。

煤煙は有毒なメタンガスや亜酸化窒素を排気。鉄道電化は日本を浄化し重要資源を備蓄し水力発電の余剰電力を活かす。鉄道輸送速度を高め輸送能力を増大し煤煙を減らしエネルギーコストを抑え有事に備えることが可能。日本を世界の先進国にする。浪平は日立が自腹でもやる価値ありと判断した。電気機関車は車台、車体の機械構造部に電車モーターと電気制御を収納する。寸法性能重量バランスの調整が千㎞離れた笠戸と日立で困難を極める。しかも担当者同士初顔。更に東京本社が鉄道省と連絡を取る。鉄道省は急行旅客列車など5機種60トンから96トンを計画。日立は急行旅客列車自重96トンで計画。モーター回転数や動輪直径、歯車、車輪軸との関係など何時までも仕様がまとまらず6月計画を中止した。しかし12月鉄道省が外国に発注した1台を大宮工場で公開し浪平、高尾、古山が見せてもらった。３人は帰途、東大脇の豊国で牛肉鍋を囲み感想を述べ合い国産第1号は日立でやらねばと盛り上がった。

最終的に鉄道省方針で貨物用大型電気機関車自重59トンとした。翌年8月電車モーターを完成し工場試験にこぎつけたが重量が予定を上回り、モーターを分解しムダを削り鋳物もやり直した。補助モーターや制御部も問題が起き作り直し13年４月13日から３日間笠戸で試運転した。結果は上々大成功であった。

12月16日大宮工場で公式試運転のあと日立製電気機関車３両が鉄道省に買い上げられた。これが国産第1号大正３（１９２４）年製貨物旅客用電気機関車59トン、主電動機４台、最高速度65㎞／時１５００Ｖ出力８２０kW、輸入機に劣らぬ性能である。日本の狭軌道での成功は米国新聞でも紹介され注目を集めた。

この機関車は欧州からの輸入機関車と並び東海道本線の電化区間に投入された。しかし電化はそこまで、その後も蒸気が長距離輸送の主力となった。戦後国鉄内に電化委が発足し蒸気と電気の経済比較の結果、電気の優位が認められ交流電源による電化が１９５０年以降本格的に進んだ。東海道完全電化は昭和31（1956）年である。何故東海道全線の電化計画が遅れたのか。当時の日本が戦時体制へ移行したからである。

大正10年『東洋経済新報』が石橋湛山の「大日本主義の幻想」なる社説を掲載。冒頭に「朝鮮、台湾、満州も捨てろ、支那やシベリアに対する干渉も勿論やめろ」と主張した。

これらの土地がなければ経済的にまた国防的に自立できぬという意見に対し貿易の統計数値に基づき国際経済の実際をよく考究すべきと力説した。湛山は小日本主義を主張した。

つまり経済の国際化を視野に入れ国内資本を充実すれば、諸外国は喜んで資源並びに土地を提供すると主張。そして国内資本を豊富にするため国民の全力を科学技術の研究開発と産業振興に注ぐべきとした。兵営に代わり学校を建設し軍艦に代わり工場を建設せよ、陸海軍経費約8億円の半分を年々平和産業に投ずれば日本産業は飛躍的に発展すると説いた。

しかし結局その後も資源を求め限りなく膨張する大日本主義が世を風靡し産業振興より軍備増強の戦時体制へ日本は流れた。鉄道省の東海道本線全線電化計画は進まず湛山の小日本主義も時代の流れに勝てなかった。昭和7年浪平は『交通と電気』の4・5月号に「失業対策としての鉄道電化」の論文を寄稿した。その内容を要約する。

①失業問題解決は今日の日本において国家の運命を左右する重要課題である。

②近年の経済不況に対し種々対策が取られているが失業問題の解決に到らず各方面で根本

対策が必要である。電気事業の立場から見ると国鉄の大規模電化が有効な対策である。
③失業問題解決は結局産業振興のカギ。政府中心の失業救済公共事業は一時的で波及効果に乏しく有効ではない。何より鉄道電化は熟練工の就業機会を確保できるメリットあり。
④鉄道電化は年6・4％利益が見込め、5％利付公債で賄い1・4％の余剰が生じ30年で元金を完済可能。
⑤この事業の総費用は国産品購入に充て国内還元されそれに占める労賃割合は9割をこえ1日当たり8万人の雇用を生み出すことが可能。
⑥鉄道電化で現在の余剰電力が活用され電力業界の助けになる。石炭需要は減るが元々石炭は有限で一朝、国家有事に備え海軍、海運のため備蓄すべき。
⑦日本は今後産業立国の道を進まねばならず熟練工育成は重要であるのみならず、熟練工労働者の生活安定は善良な社会秩序を確保するための要である。特に今日熟練工救済の急務なるを切に感ず。

昭和7年は世界恐慌が日本に及び昭和恐慌の渦中の時代である。浪平が58歳で書いた論文で産業人として真価が発揮されている。浪平の主張する鉄道電化は国鉄1万4千㎞の内7300㎞を5年計画で行う。このため線路、変電所設置、電気機関車費、総計3億1千万円必要となる。電化で動力費、機関車乗務員給与、修理費の節約が見込める。電線変電所保守費用増を差し引き年2千万円の利益となる。投下資本年利益率6・4％。現在の政府財政状況からこの費用を捻出できぬとすれば生産事業国債として着手し差し支えない。5分利付国債を発行しその余剰1分4厘を毎年元金に繰り入れ30年で皆済。

昭和5年ロンドン海軍軍縮会議で調印された海軍軍縮条約に基づき「海軍拡充計画」（艦艇建造費、航空隊編成費）の予算3億9千万円。世界大恐慌が日本に波及し産業界は時短に追い込まれ、昭和7年国家予算は前年比マイナス10％、増税公債ナシの超均衡予算が組まれた。電化事業はすべて国産品であり総費用が国内経済に寄与する。

電気機関車を例にとり費用の構造分析をすると90％以上労賃で8万人に就業機会が生まれ、家族含め32万人の生活を安定でき財界思想界に及ぼす影響大なりと訴えた。内務省による日本初の全国失業調査（昭和4年）によると失業者は26万8千人である。

この時期政府の「時局匡救事業」が実施され、景気対策公共事業の名目で昭和7年土木事業に加え満州事変に伴う軍事費増強を含む予算として政府財政から5億5千万を投入した。

軍事費の民間発注と時局匡救事業を合わせ、需要喚起を図った。景気が回復したら歳費を切り詰め返済する計画で、政府公債と満州事変公債を発行し政府資金の市場投入が行われた。これに対し浪平は道路工事による労働者救済は自由労働者に限られ熟練工労働者救援にならぬと批判した。

エネルギー政策も鉄道電化により65万kWの電力が必要で、現在の数十万キロワットの余剰電力を活用しても足りぬくらいで電力業界の活性化に役立つとした。石炭石油は重要資源で内地埋蔵量80億トンは有事に備えるべきと主張した。

鉄道電化は戦後国鉄内に委員会が設置され、電化事業の経営評価を経て形を変えて実現した。元より戦前から電化計画が存在したことに鑑み、浪平の考えは鉄道省内に意思疎通があったと思われる。大規模な構造転換は社会的痛みを伴う。ＳＬ専業の汽車製造の仕事が減じ売上７％減少する石炭業界の問題もあった。

何より昭和12年日中戦争が勃発し、日本は軍事一色となり、産業振興による民生安定を受け入れる余地はなくなった。

当時日本は湛山が幻想と言った大日本主義へ迷走した。しかし迷走はまだ序の口で第二次世界大戦へとつながり広島と長崎に原爆投下を受けるまで続いた。浪平論文は国策とすべき産業立国への王道であるが戦後まで実現しなかった。産業を振興し国力を増強せねば精神論では戦争に勝てぬ。残念ながら戦前の日本は国力もなく戦時体制に移行した。

浪平がいかに産業振興を重視したかが解る。湛山の言う通り軍事費予算の半分を産業振興に充てれば日本はまた別の繁栄の道を進んだ。

浪平流にやれば関東大震災の複旧も絶好の大躍進のチャンスであった。

軍国主義化した日本は原爆を投下され第二次世界大戦に破れたが世界戦争時代を終わらせることができた。植民地化された世界の諸国が次々と独立したという点でムダではなかった。

産業を振興し国富を隆盛する王道は何十年続けても平和繁栄が続き国富が益々増えるだけである。軍国主義を10年も続ければ国家が潰れる。

戦争は戦死者負傷者や家族を含め世の中に終わりない不幸苦しみ憎しみを充満する。21世紀に時代は変わったが産業を振興し富国隆盛を目指す浪平の思想は国家の王道である。明治の世も現在も変わらぬ。

6 電光石火の采配

浪平の右腕として四十数年浪平を支えた高尾直三郎が最初に浪平に会ったのは明治41年７月。高尾は東京帝大工科大学電気工学科を２番で卒業した秀才であるが浪平の統括指揮ぶりに驚いた。地位は社長の房之助や所長竹内の下の課長だが実質的に鉱山の最高幹部であった。

業務範囲は鉱山の採鉱精錬以外の土木、建築、電気、機械ほかすべて浪平が統括し指揮した。朝６時から夜の６時が定番で勿論残業や徹夜もある。

浪平は鳥打帽に詰襟、脚絆に草鞋の軽装が制服である。いつの間にか浪平に倣い設計技術者や事務職員もこれが制服となった。浪平は午前１回

若い頃野武士浪平はケンカも強かった

出典『栃木市の偉人』

> 日立鉱山では工作課長であるが実質的に鉱山の最高幹部の役割を果たした。裁断流れるが如し。特に災害や事故に遭遇し人々が不安で動揺する時、電光石火の名采配で方針を示し人々を激励し安堵させた。

午後1回、かならず各職場を巡回する。山の崩し、土坡のつき固め、煉瓦の積み方、建屋切り組、壁塗り、レール敷設、機械据え付け、電柱の立て方、一つひとつ手を取り指導する。

事務所では設計、計算、製図、土工や建屋入札、機械買い入れ、予算決算まで一つひとつ即座に決済する。誠に裁断流れるがごとく何も知らぬ若輩は驚いて眼を見張った。若輩には浪平がスーパーマンに見えた。

鉱山本来の仕事のほか浪平は副業的に電気機械製作やカーバイド製造、発電所建設をした。

水力発電に力を入れ常磐地方の余剰電力を東京方面へ送電する計画を立てた。東北、中国、四国の水力発電地点を調べ各所に水利権を出願した。後年、後藤新平が鉄道院総裁の時、発電用水力を調べ到る所に日立鉱山の先願があり驚いている。

水力発電所は巨額の建設費を要する。鉱山を全国31カ所展開した房之助には水力発電まで回す資金がなかった。カーバイド製造も鉱山電力需要が予想以上に成長し余剰がなくなり中止した。

浪平の若い頃の写真を見ると後年の円熟した頃の浪平とは人相が異なる。短気でケンカに強かった。野州武士の浪平を高尾は見ている。上司は房之助と竹内であるが上司相手に堂々と所信を述べた。また部下がヘコタレタ顔で、「できません」などと言うと「そんならやめろ！」と叱り付けた。こうなると部下はオロオロするばかりでそんな時には高尾が慰め役で「小平さんが言うのはしっかりやれという意味である。頑張れ」と部下を慰め励ました。

しかし胸の奥に大志を抱く浪平は毎日日記を付け毎日反省し瞑想して自己を磨き向上した。

そして誰も到達し得ない高徳の人間性に到達した。

高尾の記述によると昭和の初め頃、人相見が浪平の人相を見て、あれ程の複雑な性格を具備している人相はないと言ったが、これは修養を積む最中の浪平で熟達した温顔の浪平は豊田貞次郎が言う通り政治家なら総理の器で、四十数年浪平に仕えた高尾は宗教人以上の神格の所有者で生きた観音菩薩と述べている。

日立鉱山での仕事ぶりは浪平の傍に仕えた高尾が想い出集に記している。浪平の采配は見事に的中するのである、しかも命令を受けた部下は命じられた任務に感動して意気高揚し任務遂行のため命がけで頑張る。所員たちは神サマのようにあおぐ浪平に仕事を命じられると誰でも感動し、意気高揚しやる気満々となる。どんな難しい問題でもよしやるぞという気が湧いてくる。

42年に入所した高尾直三郎も翌年に入所した馬場粂夫も浪平から話を聞いて一発で入所を決めた。続いて入所した者たちも同じであった。

入社後電線製造の命令を受けたのは2代目社長となった倉田主税である。

絶縁ワニスや塗料、絶縁碍子、刷子製造開発を命ぜられた横田兼吉、鉱山の電気鉄道モーターを修理するのに10日必要と言ったが3日でやれと厳命され2日半でやり遂げた平野俊雄。

日本初の1万馬力水車を作れと励まされた秋田政一など事例をあげると書ききれない。

＊　＊　＊

高尾は浪平の想い出集に経営者としての浪平の特長を19項目挙げている。高尾は頭脳明晰、人格円満で生涯を浪平の傍に仕えた人物である。以下の通りである。

①経営方針が手堅い。
②実行力に富む。
③目標が大きい。夢に近いほど大きい。
④決断が速い。書類を提出するとすぐ目を通し説明を聞いて採否する。机上に書類がない。
⑤合理性。数々の調査、思索、計算に基づく合理性により基礎を科学技術と経済原則と人間性に置いている。
⑥数字が基本。原価計算の確立に尽力し失敗してやり直し材料費工賃が複雑化しどれが本当か解らぬ時でもかならず予算実算により原価を計算した。営業でもその原価を元に正確な見積もりを立て数字で商売した。
⑦事務的で技術的。偉大なる人格と計り知れぬ政治力を持ちながらやることは事務的で技術的であった。
⑧勘が鋭くセンスが非常に良い。数字も技術も事業に対する勘を育てるためとしか思えぬほど勘が鋭かった。
⑨信念が強い。一度言い出したらなかなか引かぬ。やりかけた仕事は損してもやめぬ。言

い換えれば粘り強い。この粘りが重工業人に最も大切な性格である。

⑩思い切りが良い。粘り強いのと反対であるができるだけのことをしてそれでもダメでヤメとなるとクヨクヨせず泣き言を聞いたことがなかった。創業時は失敗だらけでしかもその失敗が描く波紋が大きくどうなることかと心配した時でも、それを一身に引き受け部下には泰然たる態度をとったので部下は皆勇気を得てくじけなかった。

⑪義理と人情。合理的とか数字に強いとか勘がよく仕事好きという人は冷静で冷たい感じの人が多いが、浪平はドッシリ温かく笑顔は男惚れした。部下を愛し引き立て援助することも他に例がなかった。顧客は勿論ライバル会社にも人情を以て接し多弁ではないが嫌味なく時にユーモアを交え皮肉など聞いたことがなかった。

⑫人を信頼し寛容で人の話をよく聴いた。自分の説とは反対でも知っていることでも嫌な顔をせずによく聴いた。人が来ると書類を見ていても瞑想していても快く話を聴いた。部下に仕事をやらせる時は思い切り信頼し、そのやり方が自分の考えと少し違ってもそれが正直で熱心であれば黙ってみている。偶々自分は指図していないのに部下のやり方が自分の考え通りで、かつそれが軌道に乗り出すと、思うツボにはまったと秘かに喜ぶほど人を信頼し仕事を任せた。

⑬負けず嫌い。年と共に円熟し顔も笑みをたたえ温容になったが若い時はケンカ早く上司に強かった。上に対して所信を曲げず堂々の陣を張りケンカ腰になることも。その態度

も野州武士の気骨が溢れた。写真を見ると若い時と老後とはハッキリ区別がつく。尋常な負けず嫌いではなかったがケンカや立腹がよくないことは理解しており、爪かじりや煙草もそれを抑えるためと思われた。服装も身を以て質素倹約の範を示しながら負けず嫌いの好みが随所に表れ、洋服など地味だがきりっとしたものを身に着けた。

⑭公私の別を明にした。潔癖を生涯貫いた。全従業員が清廉、紙一枚会社の物を私用せず、お客から、下請けから、材料仕入先から、利害関係ある筋から接待を受けない会社として最上の美風を浪平は身を以て示した。

日本の会社は大財閥が第一次世界大戦中に自己保全のため作ったものが多く経営をその一族で固め、私用の観念が残り、会社と個人の区別がはっきりせぬものが多い。資本主義が発展してからもその残滓がある上に、そうでない会社まで長年社長の地位にあり会社が発展するとやはり同様の振る舞いがある。さらに終戦後も民主主義を叫ぶ時代でさえ、会社を我が物顔に扱う社長が多い日本で浪平は毅然として会社と個人に一線を引き、経営者として終始した。

単なる公私の別を明らかにという言葉では表現し尽くせぬ重要さがある。

さらに言えば日本の軍人、官史、政党人が浪平のようなやり方をすれば日本もこんなに追い込まれなかった。戦争にも見切り時があり、それをはっきり付けられた。戦後も良い方には向かわず顔とか親分とか縄張りとか古い体質が加重された。高尾は稀代の浪平という偉人に生涯仕えたのである。残念ながら戦前も戦後も浪平のような偉人経営者は現れなかった。浪平のように軍人や官僚も政治家も仕事をすれば日本は戦争に巻き込まれず、巻き込まれても潮時を見て見切りを付けることができた。

日本の財閥もそうでない企業人も軍人も官僚も政治家も浪平を見倣えと高尾は言っている。

⑮質素倹約。他社の重役が自分用自動車を用いても本郷からお茶の水まで徒歩で、それから電車で勤務した。周りが心配しムリやり自動車にしたが油が少なくてすむダットサンを用いた。公式会合でも他の社長達が立派な自動車を並べているところへ平然とこの小型車を乗り入れた。住宅も東片町の車の入らぬ狭い小路の不便な小さい家に住んだ。三組町の家が戦災で焼け小石川別館内の門番のような家に落ち着き、そこも古く狭く使い勝手が悪く皆心配して新築を進言したが、ここが好きだと言って承諾せず息を引き取った部屋は６畳の狭い部屋であった。二流三流ではとてもマネ出来ない。

⑯名声、名誉を求めず。会社の大きさ、技術の優秀さをはじめ日本一を目標としたが、途中から時々世界的というほど大きかった。しかし個人として財を求めず名誉を欲せず貴族院議員もなりたがらず工業倶楽部にも出入りせず経団連も評議員の名はあるが出入りせず所謂実業家がやる名誉を求めるところに冷淡であった。電気学会は学問発展のため力を入れ会長も務めた。多賀高等工業学校の創立時は日立が資金を引き受け学術の発展と振興に熱心であった。

をついていた。

⑰絵画、書道、陶器、建築など非常に広く趣味を持ち何時もセンスがあり批評はポイント

永眠後、家族により発表された中学高等学校時代の鉛筆画、旅行時にスケッチした水彩画は実にうまかった。日本画は有名人より実質優秀なものを時々買った。助川時代無名の油絵描きを盛んに援助したり新進の美術家を奨励したりした。多賀工場では絶縁碍子や碍管を作ったが、陶磁器趣味の延長である大甕焼は自分の考えとは少し違ったが非常に力を入れ焼物が一人前になるのを楽しみにした。

詩人のような感受性を持つ浪平は好奇心豊かで文章や書画に才能があったが、事業に多忙のため休日の散歩やゴルフや美術の鑑賞が貴重な息抜きの気分転換になったのである。浪平は事業経営、仕事のことは他の人の何十倍も考え、精神を集中する。ゴルフや陶磁器や美術や書画鑑賞に浸る時は完全に事業のことから離れた。

水彩画、油絵、書画、映画や音楽鑑賞、ゴルフ、散歩。子供たちや孫たちと遊ぶ。これが浪平に不可欠の楽しみ、息抜きを提供した。

趣味ではないが現場を統括し指揮するため午前午後かならず1回現場を巡視する。浪平はこれを仕事と考えなかった。設計や現場巡視を楽しむように考えた。技術者や職工を育てるため巡視する。技術者や職工と話す。従業員の成長を楽しみ、現場巡視を楽しむことで疲れなくなった。現場巡視が終わり次は発電所建設工事の現場を回る。新緑の山

波を縫いながら山道を歩くので毎日大変な行軍になるが浪平はこれを楽しもうと考えた。会社では社長室にお客さんや社員が用件を持って会いに来る。浪平は一件一件喜んで対応した。何とか相手を喜ばせられぬか。相手に嫌な思いをさせず励ましてやれぬか考えた。浪平は仕事を趣味にした。日立は仕事と趣味が混ざり合った浪平という偉人の芸術作品であった。

⑱音楽演劇の趣味。時々映画を見たり歌舞伎を見たり。歳をとったら一中節や長唄もやりたいと周囲に話した。しかしやることなく永眠した。

⑲スポーツは学生時代から健康維持に何でも手を出した。ボート、テニス、玉突き、野球、柔道。山登りや旅行や散歩も趣味。写真機も学生時代から趣味で専門家。鈴木という人間を助手にして創業当時カタログ写真を作った。鈴木を写真工に育てた。

＊　＊　＊

元海軍大将、軍需大臣、日本製鐵社長の豊田貞次郎は第二次世界大戦末期に浪平に初めて対面した時の印象を『小平さんの想ひ出』に記している。

「その特異の風格容貌と強烈な国家的信念に最も強く胸を打たれた。そして最も然諾を重んじられる古武士の風格を具備しておられ……困難に遭遇した場合、もっとも信頼すべき相手という印象を受けた」と述べている。

本当に偉い人物は決して威張らぬ。海軍大将や軍需大臣を務めた豊田の回想である。

叶わぬことであるが、山本五十六元帥が戦死したあたりから浪平が総理を務めれば日本の運命は変わったかもしれぬ。

浪平は人智の及ばぬ奇策で戦争を平和に解決したかもしれぬ。

＊　＊　＊

人という字はノに支え棒がついて人になる。浪平のような偉人といえどもひとりで偉人になることは不可能である。偉人を育てた陰の偉人がいる。それが母親チヨであった。浪平は終戦の一カ月前に『身辺雑記』に「慈母」として書き遺している。


母は家付きの娘なり。

嘉永六年に生まれ十八歳にして父を迎え、十九歳には兄を産み、二十三歳にして余が生まれたるなり。

その教育程度など遂ひ何も母より聞きたる事なく不明なり。勿論寺子屋教育を出でざりしなるべし。

体格は小柄なりしも全体に均整のとれた中肉の健康体にて、克く艱難辛苦に耐え得る素質を有せり。余の健康の宜しきは母の遺伝なるべし。

性質は　所謂男勝りにして非常に強き一面あると同時に涙もろく、弱者に対し同情深きは関東地方特有の任侠の気風を存したるに似たり。

男勝りの勝ち気強き点は、父に死なれ借金と多数の幼児を遺されたる結果として、必要に応じて醸成せられたる第二の天性かも知れず、余は寧ろ母の温和にて忠実なる固有の性質に感化せられた所多きを覚ゆ。

父の死後、暑中休暇にて帰省したる時など、夜静かなる時に　母は一家の窮状を打ちまけ、涙を流して余の奮起を促したるは今も忘れぬ深き印象を脳裏に印せしめたり。

余は母より叱られたる事を記憶せず、常に激励と賞辞とを受け何等の心配もなく無我夢中にて勉学するの幸福境にあり得たるなり。

母は余等を教育するに先ず第一に正直なれと教え、次に努力せよと教えたり。正直と努力とは最も平凡なる事柄にして実行の困難なる事なり。而して母は之れを実践躬行し身を以て範を示したるなり。正直なるものは必ず栄え努力するものは何時か酬ひらる。

母は神信心厚く家庭における先祖の祭、氏神に対する奉仕など真心を籠めて行いたり。郷里に於いては太平山神社を特に信仰して　年々数回登山して参詣したり。昭和三年の春、即ち死する一、二ヶ月前に七十七歳の高齢を以て徒歩にて太平山に参詣したる由なり。同山麓まで約二里、山の高さ約千尺なり。下駄履きにて之れを往復する事は余程の体力を要するなり。

母の最後の病気は腸チフスと診断せられ、この病気無かりせば八十、九十の長寿疑いなき処なるに洵に惜しき事なりき。

母の最も苦境に立ちしは云うまでも無く父の死後に於いてなるべし。僅かに三十八歳の若き後家が七人の子供を擁して借金と戦わざるを得ざる境地は、想像しても仲々容易に非ざりしなるべし。

家柄を誇りとせし母として借金を催促せられ、暮夜質屋の門を潜りたる苦心談は昔の思い出として数回聴かされたる事ありたり。新しき衣裳を買うにも非ず、美食を摂るにも非ず、古服をまとい粗食を摂りて一意専心子女の養育に邁進したる勇気と根気とには、余等としては最大の感謝を捧ぐる次第なり。

以来今日迄五、六十年この如く健康にも恵まれ国家にご奉公し得るは全く母の賜物なり。母の高恩に対して余の盡したる孝養は果たして如何なるなりしか。

（昭和二十年七月　記）

浪平はこの慈悲深い母に育てられ母親と同じように慈悲深かった。采配の名人は社員を家族のように愛し激励し共に大事業を実現する同志と考えていた。

家貧しくて孝子顕る、この親にしてこの子あり……中国の故事にある。こうして日本の大事業家小平浪平は生まれるべくして生まれた。

7 超一流は質素倹約

質素倹約は言い換えると贅沢をせずムダをせずという意味である。超一流の事業家はこれを実践する。豪邸に住み、高級車を数台所有し、プライベートジェット機を持つなど二流三流がやることである。

資産７４０億ドルの資産家Ｗ・バフェットは携帯電話もＰＣも持たぬ。１９５８年に3万１５０.0ドルで購入した質素な家に住んでいる。庶民的な食べ物が好きでコーラを飲み、ポテトチップスを食べる。

７００億ドルの資産を持つFace

浪平は丸太木造の掘立小屋で創業した

出典『栃木市の偉人』

おカネには魂が宿る。１銭を笑う者は１銭に泣く。贅沢せずムダをせずは超一流の証拠なり。浪平は原価意識を全社員に教え、全社員を超一流に育て上げげた。

bookのCEO、M・ザッカーバーグはVWのマニュアル車を運転する。Tシャツ、ジーンズを制服のように身につけ恥ずかしいとは思わぬ。2015年12月夫婦が所有するFB株の99％を存命中に慈善事業に寄付すると発表した。

資産48億2000万ドル、電子カルテを手掛けるエピック・システムズを立ち上げたプログラマーのフォークナーはウィスコンシン州の家に30年近く住み続ける。過去15年で車は2台しか所有せず。2015年5月ビル・ゲイツとバフェットが始めた寄付啓蒙活動に参加し資産の半分を慈善事業に寄付すると宣言した。贅沢な暮らしをする金持ちになりたいと思ったことは一度もない。多くの人達が食べ物や暖房、住宅、医療、教育を手に入れられるようにカネを使うことにした。

インドで最も裕福なテック業界の大物、プレムジは150億ドルを超える資産を持つが、空港から自宅に帰るのに庶民の足である原付3輪車を利用する。飛行機はエコノミークラス、自分の車は中古車、ムダな照明を消すように社内を見て回る（*"The surprising frugal habits of a billionaires"* 遠藤康子訳より抜粋）。

京セラ創業者の偉人稲盛和夫は社長になってからも質素なアパート暮らしであったと聞いている。東芝、国鉄を再建した偉人の土光敏夫はメザシとタクアンで朝食を取り毎日般若経を唱えた。質素倹約は超一流事業家の証拠である。

日本一の大事業家となった浪平は、その気になれば成金王となり小平財閥を作ることもできたはずである。しかし大企業は公器であるとして私利私欲を排し大株主にもならず高給も排している。質素な家に住み、質素な暮らしに甘んじている。1代で数百億ドルの資産家となった西欧の事業家とはまったくスタンスが違っている。資産だけでない。浪平は名声、名誉を求めず地位、権威を求めずこれを生涯貫いている。浪平のような生き方は欧米の超一流の資産家には想像もできないのではなかろうか。

その浪平は質素倹約つまり「贅沢せずムダせず」を社員全員に教えた。企業は稼いだカネでメシを食うのである。製品原価が解らぬでは企業とは言えぬ。儲けるどころかすぐ倒産する。従業員に原価意識をしっかり教えるのが浪平の重要な仕事であった。浪平は従業員全員に質素倹約を教えた。つまり全員を超一流にしたのである。

浪平は父惣八がカネ勘定もせず色々な事業に手を出し失敗した経緯がある。母チヨが製茶を始めた時は経費節減のため渋紙を貼り自家製の茶袋を用いた。子供の頃に経験した質素倹約がおカネを大切にする原点になった。幼少時に何の不自由もない裕福な家庭に育つとこうはならない。惣八の事業失敗も慈母チヨのおカネの苦労もかけがえのない浪平の事業の原点になったのである。

藤田組の流れを汲む日立鉱山は創業時から複式簿記を用いたが、浪平が創業した電気製造業はもっと工程が複雑で原価を効率よく把握する必要があった。

費用の発生する部門は営業、本社、工場で工場が最も費用が発生し、購入資材も、従業員も多い。

不良品を造り材料費と工賃にムダが出る。材料の残りが出る、金属加工の端材が出るなど失敗や不良を造ると何が本当の、原価はいくらか、何時製品ができるのか解らなくなる。創業の頃、工場の現場は混乱を極めたが従業員は皆ヤル気十分で議論が白熱した。時には退勤後に浪平や高尾の社宅に集まり同じ釜のメシを食いながら夜遅くまで議論を重ねた。

浪平は工程係を設け、番割表を作成した。作業手順に従い作業表と出庫伝票をカーボン紙で3枚発行する。

工程毎に工賃を幾ら支払ったか、材料を幾ら使ったかを把握する。失敗するとスグに解る。工賃や材料費が足りなくなる。追加手配の伝票が必要になる。

不良を出しては対策し、腕が上がり不良が出なくなると予算実算がピタリ合うようになった。製品原価が数字で掴めるようになり、何が、どこに問題があるか解るようになった。

工場原価は工賃＋材料費＋直接経費に工場一般割を掛ける。総原価は工場原価に本社費＋営業費を一般割として工場原価に掛ける。会社が肥大化すると工場一般割と本社一般割が増大する。肥大化すると注文が取れなくなる。工場が肥大化すると工場原価が上昇する。原価は一目遼然に現状把握ができるようになった。

質実剛健、質素倹約を本分とする浪平の原価への徹底したこだわりが全社員に伝わり、社内のムダを省くため様々なアイデアが実行に移された。マッチ一本火事の元という標語があるが鉛筆消しゴムまで原価低減した。

社内便は使用済み封筒を再利用した。便箋は使用済みの裏紙を便箋代わりに使用した。鉛筆や消しゴムは短くなると紙を巻いて使った。係長以上の幹部の名称は略称を用いて役職名と名前を書くムダを節約し大きな効果を上げた。物を大事にする。時間をムダにしない。仕事に工夫を凝らし効率を上げる。廊下のムダな照明を消す。ムダな残業をしない。塵も積もれば山となる。ムダを省く意識が製品原価を安くする。

原価計算が正しくできるようになるとどこにムダがあるかも見えてきた。鋳物を外注すると高い買い物となる。浪平は宮出義雄に鋳物の内作化を命じた。

コイル製造に使用するワニス類や絶縁碍子は輸入品で高価である。これを研究して国産化する必要がある。

浪平は絶縁ワニスや絶縁碍子や碍管製造を横田兼吉にやらせた。これも見事に成功した。この事業は後に日立化成工業として日立ご三家の一事業に成長した。

電線は古河電工から購入している。銅は日立鉱山の主なる生産品である。エナメル線、平角線、銅条、送電ケーブルは高価な輸入品である。これを内作化して外部にも販売する。浪平は電線製造を、仙台高等工業を卒業して入社した倉田主税に任せた。倉田は見事に電線工場を立ち上げた。この事業は大事業となった。

ケイ素鋼板や磁石類も高価な外注品を用いた。金属製品は後年買収した鮎川儀介の国産工業が日立金属工業に成長した。浪平は如何に速く廉く良い製品を造るか、製造工程の作業から設計手配、工程係の設置、本社、営業の経費、外注品の内製化まで広範囲に改良を加えた。こうして電気機械の製造基盤を創出した。

しかしこれはまだ原価低減の序の口である。浪平は社員全員が原価意識を持つプロにした。原価を無限に下げ、納期を短縮する。倉庫に積まれた製品在庫、部品材料在庫はカネ食い虫である。これをみんなの知恵を集め、工夫して減らす。工程を工夫して効率を上げ速く廉く作る。部品や材料の性能を上げ速く廉く作る。現場はただ従来のやり方でノンビリと決められた通りに作業を繰り返す所ではない。毎日工夫し改善できないか全社員一人ひとり考え皆で検討する。こうすることで製造現場も営業も検査部門も庶務や総務も仕事に改善を加え前進する最強の野武士集団が創成された。

浪平は生来、負けず嫌いである。日本メーカーの芝浦は米国のGE社から、三菱電機は米国WH社から、富士電機は独ドイツのシーメンス社から技術導入している。

高価なロイヤリティを払い外国人技術者に指導を受け電気機械を製造する。モーターも発電機も水車、変圧器すべてロイヤリティを支払い外国人に指導を受ける。

電気機械の仕様が変わる度に新規契約が必要になる。容量が増えても電圧が増えても契約を見直す。欧米企業の縄張りを荒らさぬように輸出も自由にやることはできないのである。欧米企業から技術導入すると欧米企業に勝つことは非常に難しくなる。負け犬になるのである。

日本企業はいつまでも二流三流にしかなれぬ。こうして浪平は電気機械を自力で開発する国産化を目指した。強烈な製造力を身につけたのである。もう一つは営業である。営業は注文をとるのが仕事で顧客と工場の接点になる重要な仕事である。

顧客との間に別会社が入り込むと極端に言えば顧客との間にカベを作ることになり更に営業費を支払わねばならぬ。顧客との交渉が上手くいくとは限らぬ。浪平は広島水力発電で配電部長を務めた時に営業を担当する某電灯会社が起こした難問題を一発で片付けた経緯がある。この時の経験からか日立の営業権を久原商事が申し出た時キッパリ断った。

浪平は後年、事業はひとりではできなかったと述懐した。浪平には毎日奮励努力する血の出るような社員たちの姿が目に焼き付いた。会社はみんなの努力で事業拡大してきた。浪平の私物では毛頭ない。日本の公器である。

海軍大将、海軍大臣を務めた豊田貞次郎が小平さんは総理の器であったと述べた。浪平がその任務に就いたら素晴らしい日本が生まれたであろう。東洋にも西洋にもこれほど清廉潔白な事業家は歴史上登場しなかった。

8

世乱れて忠臣を識る

家貧しくて孝子顕る、世乱れて忠臣を識る……中国の故事にある。故事の前半は房之助、義介、浪平に共通する。

幼少期の厳しい生育環境が孝子を育てた。20世紀は世界戦争の時代であった。16世紀に始まる欧米の世界侵略の最終章が20世紀である。世界大航海時代という表現もあるが真実は白人による世界侵略で、この時代アフリカ、南北中央アメリカ、南太平洋、東南アジア、極東の中国、朝鮮、日本まで欧米

浪平の社長室は沈思黙考の聖地であった

出典『栃木市の偉人』より

世のため人のため、国運隆盛のため、社員と共に奮励努力。浪平は電機製造の一本道をまっすぐに突き進んだ。人々の信頼、国家の信頼を得て浪平の牽引力にひかれ、吸収合併や新会社設立で事業が浪平に集中し拡大した。

の侵略が及んだ。この時代日本は日清、日露戦争、第一次世界大戦、満州事変、日中戦争、第二次世界大戦を戦った。最後は広島長崎に原爆を投下して日本を血祭りにして終わった。まさに世は乱れに乱れた時代であった。

故事の後半はその乱れた世を指している。

小平家は元々裕福な名家であったが父惣八が色々な事業に失敗し48歳で急逝した。37歳の寡婦チヨに遺されたのは借金の山と19歳の長男儀平を頭に末子八重は２歳に満たぬ７人の子供たちであった。その後いかにして浪平が東大工科大学電気工学科を卒業したか、先述の通りである。祖母ヨシ、母チヨ、兄儀平、弟妹の筆舌に尽くし難い精神的経済的支援と恩愛を受け浪平は大学を卒業し事業家の道を邁進した。

房之助は浪平より５歳年長である。久原家10代豪商の半平が暗殺され両親は追われるように故郷須佐を離れ萩に移住した。房之助は萩で生まれた。父庄三郎は久原家再興をかけ酒造業や醤油醸造を始めたが失敗し弟藤田伝三郎を頼り家族を萩に遺したまま上阪した。養父半平を暗殺された無念の思いを抱えた両親の元で房之助は幼少期を過ごした。「久原家を再興し両親を幸せに」が房之助の願いであった。房之助は大富豪となり久原家再興を実現し両親に報いた成功者である。しかしこの後この富豪は儲けたカネを何に使ったか。

３人の妻妾に13人の子供を持ち東京小石川、大阪住吉、神戸六甲の広大な敷地に豪邸を構え政治家に献金し様々な所にカネをバラまき事業も海外まで手を広げた。しかし第一次世界大戦終結で久原商事が倒産した。久原鉱業も経営に行き詰まり房之助は人脈を通じ義介に後継を任せた。久原鉱業の後継者鮎川義介は、房之助の妻清子が義介の妹であり、義介は房之助の義兄に当たる。義介と清子の祖母常子は井上馨の姉であり井上馨は房之助と義介の大叔父に当たる。

華麗な長州族の出自である義介も幼少時の生育環境は厳しかった。鮎川家は元長州藩中級士族であるが明治維新で没落する。世渡り下手な父弥八は山口県の下級官史を務めた貧乏士族であえぎあえぎの生活であった。義介3歳の時、家族と共に洗礼を受け熱心にミサに通いこの時師事したフランス人牧師ビリヨン神父にその後も大きく影響を受けている。神父はナポレオン側近という名門の出でありながら辺鄙な地で低処高思の生き方を貫いた。神父は日本資本主義の父渋沢栄一にフランス語を教えている。

義介は涙脆い反面、腕白で利かん気の強い少年であったが祖母は義介を非常に可愛がった。「お前はえらくなる」が祖母の口癖であった。

当時の日本は国家隆盛、立身出世の第2維新期と言われ、中央に出て活躍する若者を育てる山口高等学校を義介は卒業した。教師陣に哲学者西田幾多郎がいる。大叔父の井上から「お前はエンジニアになれ」と言われエンジニアを志望した。大叔父は明治の元勲である。明治36年東大工科大学機械科を卒業。「終生富豪となることなし。天職を精進する」と決意する。義介は浪平より5歳、房之助より10歳年少である。

こうして出自と工科大学の学歴を隠し日給48銭で芝浦製作所の職工となった。当時の大卒は月給40～70円の時代である。現場で2年間鋳物造りを学んだが西洋のマネであることに気付いて客船の４等客室で渡米しグルド・カプラー社の可鍛鋳鉄工場に見習工として働いた。

帰国後親戚筋から資金援助を受けて明治43年戸畑鋳物を設立した（後の日立金属）。

昭和３（１９２８）年栄華を極めた房之助の久原鉱業が金融恐慌の煽りを受けて行き詰まり義介が親戚筋から資金を算段し後継社長となった。

しかし銀行にも信用がなくカネを貸してもらえぬ。義介は社名を日本産業に変え持株会社として傘下に日立製作所、日産自動車、日本鉱業、日立造船、日本水産、日本冷蔵、日本油脂、日産火災、日産化学、日産生命、日産農林、帝国石油、石油資源開発など１４１社12万人の従業員を雇用する日産コンツェルンを構築したが50円払い込みの日本産業株は15円を割り込むボロ株となった。銀行に信用されぬ会社の集合では当然である。

しかしなんとか耐えている中に昭和６年満州事変が勃発し、日本経済は戦時景気に巻き込まれ日産株が１５０円に上昇した。一躍義介の名声は世にとどろいた。

ここで義介は資源のない日本を飛び出し満州に本社を移し社名を日本産業から満州重工業開発株式会社（満業）に変更し総裁となった。満州で勢力を持つ満鉄に対抗する関東軍の求めに応じたのである。満州では関東軍と満鉄が勢力争いをしていた。

この際義介は浪平の日立製作所に自ら経営する国産工業との合併を申し入れた。

日本産業の社名まで変更し資源を求め満州へ移住したが実際に資源はあったのか。社名変更も持株会社を満州へ移すのもまず有望資源を見付けてからでよかったのではないか。

１９３９年白洲次郎と会談し英仏と独の戦争は英仏勝利の感触を掴んだ。義介は42年12月総裁を辞任し満州から撤退し間一髪のところで日産の崩壊を防いだ。

戦後はＧＨＱの公職追放を受け巣鴨拘置所で20カ月過ごした。拘留中思索を巡らし「カギを握るのは中小企業」と結論した。

解除後は中小企業指南役となり52年中小企業助成銀行を設立。53年参議院議員、56年中小企業政治連盟を結成し総裁となった。

貴族院議員、日産コンツェルン創始者、満州重工業開発株式会社総裁、帝国石油社長、石油資源開発社長、全国中小企業団体中央会会長、岸内閣経済最高顧問、東洋大学名誉総長など数々の名誉職を歴任した。社長、会長、総裁、貴族院議員、参議院議員などなど数々の名声名誉に輝いたが……果たして乱れた世の忠臣になれたか。

59年全国区参議院議員に再当選したが次男金次郎の選挙違反に責任を感じ辞任した。

一方、先述の通り房之助は久原鉱業を義介に託し政界に身を転じた。昭和２（１９２７）年政府特派経済調査委員としてソ連欧州を訪問、スターリンと会談し田中首相の親書を手渡した。

28年山口１区から衆議院選に当選し田中内閣逓信大臣、立憲政友会幹事長を歴任した。

中国大陸進出を主張し1代で巨万の富を築いた自分は超人であり自分が党を率いるのが日本のためと一国一党論を唱えたが、二・二六事件に深くかかわり影響力を失った。

その後鳩山一郎に接近し影響力を回復、１９３９年立憲政友会が分裂すると立憲政友会正統派総裁を称し臨時総会で第８代立憲政友会総裁に就任。挙国一致、政党解散を唱え、40年7月2日再び一国一党を唱え、立憲政友会解党を宣言。翌日近衛文麿と会見し新聞に発表した。聖戦貫徹臨時総裁、平沼内閣参議、大政翼賛会総務など務めた。権謀術数に長け、政界の黒幕と呼ばれた。東京白金町八芳園にて95歳で逝去した。

房之助の前半生は見事であった。廃鉱の危機にあった小坂、日立両鉱山を日本有数の大鉱山に再建し鉱山王と呼ばれた。久原財閥と呼ばれ、巨万の富を築いたが第一次世界大戦終結で経営に行き詰まり、後半生は政界に転じた。

企業経営は経営者の方針で経営計画を立てそれを実践する。自分の思い通りにできよう。しかし政治は自分独りで日本を背負うことはできぬ。政界での房之助は親軍派であり中国大陸進出を主張し一国一党を唱えた。世は乱れ様々な意見が飛び交うのが政界である。一国一党はヒトラーやスターリン、毛沢東のやり方で独裁政治である。言論は自由であるから主張は構わぬが「世乱れて忠臣を識る」を思い出して頂きたい。世が乱れた時に真価を発揮する人間が本物の偉人である。房之助は世の中を騒がせたが乱れた世の忠臣にはなれたか。

義介の前半は見事であった。明治の元勲を大叔父に持ち、鉱山王と呼ばれた房之助を義弟に持ち、東大工科大学出の学歴を隠し鋳物製造の現場に入りアメリカへ渡り可鍛鋳鉄技術を学び戸畑鋳物会社を設立した。技術者として大成功である。

倒産の危機に瀕する房之助の久原鉱業を引き継いでなんとか企業破綻を食い止めただけではなかった。

社名を日本産業に変更し持株会社としてその傘下に日立製作所や日本鉱業など大中小の企業をピラミッド構造に従える日産コンツェルンを構築した。そこへ神風が吹いた。満州事変が起きて戦時経済で盛り上がった。

しかしこんなことでうまくいくなら世の中は簡単である。玉石混交の寄せ集め日産コンツェルンは中味がない。企業の結束力も従業員の団結もない。タダの寄せ集めである。こんな集団を率いて時局次第でいつどうなるか解らぬ満州に乗り出すのは愚の骨頂と言われても反論できまい。戦の天才ジンギスカンならいざ知らず義介にはムリではなかったろうか。

義介が生きた時代、世は乱れに乱れた。義介も後半は政界に身を転じた。貴族院議員、参議院議員、帝国石油社長、石油資源開発社長、全国中小企業団体中央会会長、岸内閣経済最高顧問、日本中小企業政治連盟総裁など名誉と名声、肩書に不自由せぬ。これが若い頃に決意した低処高思、生涯を天職に邁進した結果だろうか。

長州は薩摩と共に幕末の混乱から明治維新の改革を成し遂げた雄藩である。命惜しまず祖国の近代化に尽くした勤王の志士たちが現れた雄藩である。

房之助や義介に長州人の血が流れている。房之助や義介には一発勝負の山師の血も流れていたのである。世乱れて忠臣になれたか。

一方、北関東の家中村合戦場に生まれた浪平は、日立鉱山の修理工場から日立製作所を創業した。浪平に創業資金はない。合戦場の実家にもカネはない。房之助の支援を受け、日立鉱山の一事業として立ち上げたのである。

質実剛健、質素倹約は坂東武者の本分である。父惣八は幼少から浪平に漢書を学ばせた。慈母チヨには「正直であれ、努力せよ」と教えられた。祖母ヨシは「他日の計謀為さざる可からず」と遺言した。

浪平の胸には日立鉱山の山の中ではあるが必ず大事業を育て日本を富国隆盛に導いて、やがて国内の芝浦や三菱は勿論、アメリカのＧＥやＷＨを打ち負かすくらいの意欲はあったが、これは胸の奥に留めた。

世の中は大言壮語し実践せぬ人間で溢れている。口で言うだけでは国力は付かぬ。産業の振興もない。言うは易く行うは難し！

自然エネルギーの水力を発電機で電力に変える。これを高圧長距離送電で需要地に送電しモーターで動力に変換する。紡績工場を動力で運転する。炭坑を電力で操業する。鉱山を電力で操業する。家庭にも電灯が普及する。我が国の生産力は飛躍的に向上し産業が振興する。電気機械は国運隆盛、産業振興の原動力である。この事業を拡大することが、ひいては国家の産業振興に貢献するのである。

浪平はＴ字型事業拡大策を取っている。Ｔの横棒は製品種類を拡大することを意味する。直流モーター、交流モーター、直流発電機、交流発電機、変圧器、遮断機、断路器、扇風機、送風機、巻揚機、エレベーター、エスカレーター、電気機関車……。

この世にあるものは何でも造る電気機械のデパートを目標にした。これだけではまだ不十分である。電力容量、電圧、送電の場合は送電距離、送電電圧、電気機械に応じて記録品に挑戦し世界一を目指す。これを成し遂げるには優秀な技術者や熟練工、開発研究者を大量に増やさねばならぬ。やるべきことが山積した。

次にT字の縦線の拡大策。電気機械は銅線から始まる。エナメル線、平角線、銅条、送電ケーブル、海底ケーブル、通信ケーブル。銅鉱山の事業でスタートしたが日立製作所は古河電工から電線を購入していた。電線製造を浪平は仙台高等工業機械科を卒業して明治45年入社の倉田主税に命じた。

この事業は日立電線として大事業となり後に日立のご三家となった。

コイルの絶縁材料も外国からの輸入品である。絶縁ワニス、絶縁テープ、塗料、碍子、碍管、電気ブラシ類の国産化を浪平は大正3年茨城工業を卒業し入社した横田兼吉に命じた。この分野の事業は後年の日立化成工業である。

日立化成はまた絶縁材料から始まる化学の技術を横に展開する。成形材料や半導体封止材等々事業分野を広げた。TVコマーシャルの「この木なんの木」式に事業を拡大した。

さらに吸収合併、買収も拡大した。大正7年11月久原鉱業の機械修理工場の但馬製作所を吸収合併し、日立工場から小型モーター生産を亀戸工場に移した。

9年3月モーター工場で火災が発生し倉庫も製品も全焼した。モーター生産の責任者電気係長の北湯口は鉄道院大宮工場から入社し初代消防長を務めていた。責任を感じ駆け付けた浪平に平伏して詫びた。浪平は北湯口を咎めず、「木造だから燃えたのだ。今度は鉄筋コンクリート建築にしよう」と言ってただちに復興を命じた。

浪平の言葉に感激した北湯口はそれからモーター生産に邁進し、昭和15年子会社に転ずるまで亀戸モーターは全国シェアの30％を占めた。

大正10年2月房之助が経営する日本汽船から笠戸造船所を買収、房之助は経営に行き詰まり、浪平に譲渡を申し出た。笠戸には川崎造船所で機関車の製造を担当した学友の古山石之助がいる。浪平は鉄道院に無理やり頼み込んで機関車製造に首を突っ込んだ。ここからさらに笠戸工場で機械部を製造し日立工場でモーターと電気制御を製造する電気と機械の融合で先述の通り日本初の大型電気機関車の製造に成功した。

昭和11年2月日産保有の全株を日立が肩代わりし大阪鉄工所を系列に入れた（後の日立造船で戦後財閥解体により系列から離脱）。

会長に浪平、社長に六角三郎、専務に高尾が就任した。

これは真珠湾攻撃のひと月前である。16年11月浪平は桜島工場で次のように話した。

「現在の時局は重大で産業に従事する者は決死の覚悟が必要である。経営は平時でも難しい。

明日、明年、10年先を考えねばならぬ。大事業は長い生命を必要とする。そのため技術の標準化と次世代技術を考えねばならぬ。

大阪鉄工所はこれが弱い。これに力を付けねばならぬ。永遠に栄える根本は一にかかって研究である。如何なる事業もその根本はカネではない。機械でもない。多くの良い人材を持っていること。日立は８９００人の内半数は技術者でこの中に多くの良い技術者がおりこれが日立の自信につながっている」

講話嫌いな浪平がなぜこの大阪鉄工所で研究の重要さを説いたのか。浪平がこの造船所に期待したのは船舶の電化ではなかったか。大正10年久原の日本汽船より笠戸造船所を買収し大型電気機関車の自主開発により日本初の国産化に成功した。

次は大型船舶の電化ではなかったか。火力発電によりモーターで推力を得て制御、照明、冷暖房すべて電化することを考えたのではないか。戦後財閥解体により日立造船は系列より離脱したがその後も日立造船は多角的経営により多様な新製品を開発している。

昭和12年鮎川経営の国産工業を合併した。鮎川は非財閥系であることを軍部に見込まれ満州重工業開発株式会社（満業）を設立、その運営に専念するためである。

国産工業は１９１０年戸畑鋳物設立から始まる。大正６年帝国鋳物（若松）、大正11年木津川製作所（桑名）を合併し昭和４年東京製作所（深川）を設立し自動車用部品を製造した。昭和10年安来製作所を吸収合併し特殊鋼を製造した。翌年社名を国産工業とした。

日立製作所は関東に偏在したが国産工業は関東から九州まで全国に広がる。日立は日立、亀戸、笠戸、日立海岸工場に加え戸畑、若松、木津川、深川、安来、尼崎、戸塚の７工場を加え、11工場、資本金１億１７５０万円となった。この後も日立は拡大を続け昭和20年までにさらに７工場を建設しこの間に理研真空工業を吸収合併し茂原工場とした。

浪平は会社幹部に「日立がどうやら独りで歩けるようになったのは電気と機械、化学、冶金など手を握ったことが良かったからと思っている。色々な分野が互いに密接に関係を保たねばならぬと考えていた。今回は良い機会だと思って合併を承知した。国産工業は鮎川が20年に亘り養成した社内気風が純粋で大変いい。多年育ててきた日立の気風とよく似ている。両社が互いに提携し技術を融通しやすい。これが大事で気風が違うと到底ものにならぬ」と話している。

港湾で稼働する起重機は機械部とこれを駆動するモーターと制御部から成り立つ。製鉄所の圧延ラインは圧延機とそれを駆動するモーターと制御部からなる。これが十数台並んだのが圧延ラインである。起重機、クレーン、巻揚げ機、ポンプ、圧縮機、すべて動力と機械部から構成されてセットになる。機械と電気を融合することで事業領域が拡大し繋がりがよくなり売上が倍増する。

昭和13年下期日立シェアは巻揚げ機29％、起重機48％、圧縮機39％、送風機16％、ポンプ21％。かくして浪平率いる日立に次々と新事業が集まってきた。向こうから新事業が次々と日立に寄ってくるのであった。しかし一方で日本は益々重大局面に突入し昭和14年９月、ドイツがポーランドに侵攻。15年9月日独伊三国同盟締結。10月大政翼賛会結成、16年10月東条内閣が発足した。

12月日本軍による真珠湾攻撃。政府は物資動員計画、生産拡充計画を発動。これが日本の重工業部門に集中した。日立は重工業部門首位の大企業である。浪平の事業に集中した。

昭和14年政府および軍部の要請により浪平は5月に日立航空機株式会社、日立工作機、日立兵器株式会社取締役会長となった。そのほか諸々関連の要職に就任。多賀工場は航空機、船舶用機械の製作、主力の日立工場は軍需品に転換した。笠戸、戸塚、戸畑、安来の諸工場も軍需機器生産に従事した。

浪平が経営する日立に吸い込まれるように諸々の事業が房之助をはなれ、鮎川をはなれ、浪平に集結した。

そして遂に政府と軍部も浪平を頼り軍需機器の会社設立を要請した。つまり浪平本人の意思にかかわらず浪平は日本を双肩に背負わされたのである。世乱れて忠臣を識る、中国の故事後半を思い出して頂きたい。浪平は忠君愛国の武士である。お国のため全身全霊を尽くして日本を背負い奉公した。

戦争末期に浪平に面会した軍需大臣の豊田貞次郎は浪平の「特異の風格容貌と古武士の風格を備え強烈なる国家意識に胸を打たれた」と述べている。

豊田は昭和天皇に「小平は至誠忠尽の武士であります」と奏上した。

9 災い転じて福となす ―事故と不良の山―

大正３年茨城工業を卒業して入社した横田兼吉は浪平から、「絶縁材料、電気刷子、碍子類など自分で研究を重ねる勇気があるなら何年かかってもいいからやってみろ」と言われた。

浪平に大仕事を任された。感動するとともに背負いきれぬ大きな責任を感じた。ある日、カーバイド工場の隅にある12坪ほどの小屋でワニスの試作を行っていたとき、ボヤを出した。溶剤を含むワニスは可燃物である。火気には十分気を付けたが失火した。おそるおそる叱られる覚悟をして浪平の所へ行くと浪平は横田を咎めず、「輸入品を是非とも自社製

大正８年11月　火災で焼失した日立山手工場

出典『日立製作所史１』より

火災や事故が起きても浪平は誰も咎めなかった。社員の不安や動揺を抑え激励した。災難を天の警告と考え次の発展の契機に変えた。

品にしたい」という製作所の大方針を説いた。

横田はこれ以外に自分の生きる道はないと新たな決意をした。

横田は後年電線工場長を務めた。絶縁材料、電気刷子、碍子類は日立化成の主力製品である。浪平はボヤを出した横田を咎めず激励して大事業に育てた。

＊　＊　＊

大正4年、猪苗代発電所から3万7500kWの電力を110kVの送電圧で226km、需要地の関東地方田畑変電所へ送電する長距離送電は世界3位のスケールであった。この工事の水車、発電機、変圧器、配電盤、送電用碍子などすべて輸入の外国品で国内メーカーは小型機器に限定され、日立には発電所付近の電灯用電力を発電機の母線から供給するための油入遮断機を注文した。

納入は4年9月であったが日ならずしてこれが大爆発を起こした。110kV3万7500kW電力の母線に通常の6・6kV配電用を用いたためと言うが注文仕様書はどうなっていたのか。どこへ誰が油入遮断機を取り付けたのか。発注者も注文を受けた日立も専門技術者である。発電機の出力電圧は6・6kVではないのか。これが変圧器1次側電圧で変圧器2次側を送電圧110kVに昇圧する。関東地方へ送電する電力損失を減らすため高電圧にする。注文仕様書は誰が書いたのか。日立は誰が責任を持ってどこへ油入遮断機を取り付けたのか。このようなポカミスで電機メーカーに落度があれば出入り禁止の処分を受けても仕方なかった。

＊　＊　＊

大正5年5月、逓信省電気試験所から製作依頼を受けた３５０kV変圧器は当時日本最高電圧であった。大正6年4月に完成し逓信省へ持ち込まれたが6月の公式立合い試験において３２０kVで放電し試験を中止した。

コンパウンドを塗り補修して試験を何回もやり直し7カ月後の11月やっと合格した。非公式に日立で社内テストをさせてもらい合格してから公式立合いをするのが常識ではないのか。コンパウンドを何回も塗り補修した変圧器を製品として電気試験所に納入したのか！

＊　＊　＊

大正5年日立鉱山納入２２００ｋＶＡ水力発電機の磁極をとめているエンドプレートが飛び出して千切れ、発電機を破壊した。

大容量発電機の事故は日立鉱山にとって深刻である。浪平の机上には美濃紙に「進退伺　小平浪平」と書いたものが置いてある。浪平は強い責任を感じていた。このような事故を起こしては身を引かざるを得ぬ。

しかし身を引いても日立鉱山の水力発電機は造らねば鉱山にさらに迷惑がかかる。浪平は高尾と馬場を呼んだ。

浪平が芝居を打つような人間でないことは高尾も馬場もよく解っている。浪平は別に叱るふうでもなかったが「大変なことをやってくれた」と言った。

浪平が身を引けば自分たちも辞めるほかない。今までこの時ほどどうしてよいか迷ったことはなかった。二人とも答えがなかった。

しかし今すぐやらねばならぬことは発電機を早く修理し日立鉱山にかける迷惑を最小限にすることである。浪平は高尾と馬場に修理を早くやるように説いた。2人はこれを完全に成し遂げたが事故を起こしてからでは遅い。

回転子には遠心力が作用する。エンドプレートにかかる力は大きい。エンドプレートの安全率はいくらか設計の勉強不足であった。部品の強度は経年劣化を考慮して耐用年数に耐えるように設計する。これを実物で試験して認定することが必要になる。どのように設計しどのような認定試験をしたのか。日立は顧客を試験台に使うつもりか。

＊　＊　＊

大正6年、大分の久原鉱業佐賀関精錬所納400馬力3600RPMブロアー用誘導電動機のエンドカバーが試験中に破裂して山田試験員が片足切断の大ケガをした。原因はエンドカバーにニッケル銅を使用すべきところを入手困難のため自家製スズ含有の砲金を使ったためであった。材料の予備試験はやったが実物ではやらなかった。回転子は高速回転で遠心力が加わり強度不足は危険である。入手困難を理由に変更は厳禁である。変更すれば認定試験が必要である。何故、認定試験をやらなかったのか。

当時３６００ＲＰＭ誘導電動機は６００馬力まで実績があり自信があったというが材質をニッケル銅から砲金に変えた。こんなことを繰り返しては日立の将来はないと思わねばならぬ。日立は顧客に不良品を納入し代金を頂くつもりか。

＊　＊　＊

大正５年、利根発電会社は水車をドイツのフォイト社に発注し、発電機を米国ＧＥ社に発注した。ところが第一次世界大戦勃発で水車を輸送する船が行方不明となった。利根発電はかんがい用に大口の送電契約をしており何としても水車が必要であった。営業の大谷は秋田に「またとない機会だから、やれ！」と発破をかけた。

秋田が浪平に相談すると浪平は「やろう！　やれるか」と乗り気である。秋田は「やりましょう」ということになった。利根発電では製品の保証について色々と念を押したが３台の内１台を依頼してきた。利根発電でも本当にできるのか懸念しており、うまくできれば残り２台も注文するという考えであった。業界では、「請負う方も、請負わせる方も無謀！」と噂が流れた。水車は国内メーカーも実績のない大型である。日立の実績は石岡仮発電所１０００kWまでしかなく経験が不足した。文献や写真などを参考に苦心が続いて製作期間がわずか5カ月のため大型部品は設計済みのものから次々と工場に回した。

秋田はまたこの時期に製造の責任者でもあったので昼間は現場で忙しく、夜間に設計し大正3年の秋から4年春までほとんど休みなしであった。設計は秋田と福本稔。二人はまず、駒橋発電所の水車を見学した。水車設計は理論と計算ですむが調速機は長年の経験に基づく工夫を必要とする。調速機は先に浪平が造った石岡発電所の1000kWのものを参考に設計し、ランナーは全部自家製としたがケーシングは鋳鋼ができず、やむを得ず鋳鉄製とした。製造現場は木造工場であり設備も不十分で起重機は7トンの手動式であったがケーシングにカバーを付けた機械重量は30トン近くになった。それでもやっと出来上がり利根発電の岩室発電所に据え付けたが、調速機の試験で水圧鉄管が破裂した。水圧鉄管は地元の鉄工所で作ったもので厳寒の冬に現場で加熱加工したため材質強度が低下していた。

水圧鉄官を修理して調速機の試験を終え、出力試験を行った。これが予想以上に良かった。四千数百キロワットが注文出力であったが楽に5千kWの出力がでた。最大出力は7千kWに達し約1万馬力である。

すなわち1万馬力水車という評判がたったのである。運転結果も良好で引き続き残り2台の注文があり完成納入した。

記録的な大型水車を知識経験もない自分が担当することになり苦心惨憺、必死で参考資料を調査検討し慎重に事を進めたに違いない。

　未知の分野に挑戦する時は失敗は許されぬ。失敗すれば日立を潰すことになる。切腹を覚悟し科学的合理性に基づいて慎重に設計し認定試験を実地する。秋田は優秀でよくやった。

　記録的大型水車に挑戦するため顧客とのスリ合わせも十分に行ったことが成功につながった。何よりも設備も十分にない工場で関係者全員が力を合わせた。福本は成功の要因を「全員の精神力、足りない所は協力によりこれを補い未熟さは創意工夫によりこれを助け……」と述べている。みんなで知恵を絞り互いに協力すれば大仕事ができるのである。1万馬力水車の成功は日立に最も重要なことを教えてくれた。

　大正3年8月、浪平は検査係を設置し係長に高尾を兼務させた。同時に販売係を設け、設計の池田亮次を販売技士に任命した。池田は明治43年東大工科大学電気工学科卒の人材である。営業は顧客と工場をつなぐ重要な役割を持つ。ここに工場の設計に明るい池田を投入した。

　大正3年7月京大理工科大学電気工学科卒の鎌居太蔵が試験係に配属された。顧客との接点になる営業と製品を顧客先へ納入前に試験を行い、顧客の要求性能を確認する体制とした。電気機械は直流発電機、交流発電機、変圧器、モーター、遮断機、配電盤、水車、調速器、高圧碍子など様々である。回転数や電圧や出力など機械の仕様がまた様々に異なる。

　日本の弱小メーカーが記録的な製品を造れないのは長年の経験と実績がないからで、これを補う近道が外国メーカーと技術提携し外国技術を導入することであるが、先述の通り様々な制約を受ける。

製造の設備や試験設備が十分でない中で完成した製品を何とか工夫して試験を行い、間違いない製品を顧客に納入するしか方法がないのである。これは大変な努力がいる。それも関係者全員で知恵を絞り協力することで達成できる。浪平は避けることのできないこの難関に挑戦した。

しかし浪平には自信があった。

東洋の弱小国日本が東洋の大国清に勝利し、さらに世界の強国ロシアに勝利した要因は何か、浪平の心に深く焼き付いていた。大鑑巨砲がなくても日本は知恵を絞り猛訓練を繰り返し団結し世界の大国に勝利した。日清、日露戦争では国のため命惜しまず弾丸の中で全員がひとつになり指揮命令に従い艦隊がまるで強い精神力を持つ生命体の如く躍動したではないか！

大正4年、5年、6年と製品事故や不良が相次いだがこれくらいの事故や不良に負けてたまるか。

浪平は製品不良や事故を起こした工員もその上司も咎めなかった。不良や事故を「天の警告」と受け止め体制を強化し人材を投入した。

大正7年2月、浪平は日立製作所の職制を大幅に改定し強化した。

主事を所長とした。

設計係を設計課とし交流機、直流機、変圧器、配電盤の4係をおいた。

工場係を製作課とし鋳工、仕上げ、電工の3係をおいた。

試験係を試験課とし試験と研究（研究所の前身）の２係をおいた。

販売係を販売課とし販売、見積、調度の３係をおいた。

庶務係を庶務課とし会計と庶務の２係をおいた。

受注製品は営業（販売）、設計、製作、試験と流れる。試験は製品を顧客に納入する前の関所の役割を果たすのである。

鎌居の苦心は大した試験設備もないのに製品の種類も容量も増えることにどう対応するかであった。工場にあるのは50Hz１５０kWの電源用発電機だけである。

大正10年のことであるが１０００kW回転変流器の試作品を試験することになった。この変流器は２０００kWまで試験が必要であった。

２０００kW電源はないが石岡発電所に１０００kWの発電機がある。このため鎌居は石岡発電所の公休日に50Hzで運転してもらい１０００kWまで試験した。２０００kW試験は次の機会に行うことにした。やりくり算段、いろいろ工夫していよいよ必要になったところで本格的に試験設備を作った。電気機械は注文品であるからどんな注文品が来るか解らぬ。

浪平の次に試験課長になった高尾は「固まるな、伸びることを考えよ」と言った。こうしたことから鎌居は正式設備がなくても工夫すれば何とかやれる自信がついたと言っている。こうしてやり繰りするうちに設備も揃うようになり我々も成長すると言っている。

試験課は町医者と同じ。どんな病気の患者が来るか解らぬ。町医者は如何なる病人でも診察し検査できるように高価な検査設備を揃えられぬ。しかしいろいろ工夫し、やり繰りしている中に設備も揃ってくる。そういう考えで前向きに繰り返し試験を進める。

一方、研究係は試験事務室に机が増えたくらいでオシログラフがあるだけで何もない。しかしこれからやるぞという意気込みは強かった。係長の秦常造と係員2名と見習い1名。しかし忙しい。扇風機試作、銅線の試験、絶縁油、絶縁材料、アルミニウムの避雷器、設計は試作してから製品を設計する。広範囲の試作を行った。事故を起こすとその分析と調査を行い対策する。研究係はのちの研究所の前身である。調査分析のため庶務係付属の図書を公開する形で図書室が発足した。

ところが経済環境が激変した。第一次世界大戦終了を契機に銅価が世界的に暴落した。房之助の久原鉱業が危機に瀕した。住友、藤田、久原、古河の四大銅業者はカルテルを作り自衛したが、久原の大正6年下期1800万円の利益が9年下期500万円の赤字に転落した。7年から人員整理を行った。7年7月に設立した久原商事は倒産した。

7年10月浪平は久原鉱業の但馬製作所を吸収して亀戸工場とし工場長に角弥太郎が就いた。日立製作所工場を日立工場とし工場長を浪平、副工場長を高尾とした。同時に本社を東京に移し浪平も家族と共に本郷に住むことにした。9月に営業のキーマン大谷敏一が病没したことも東京転出の一因であった。

久原は金融業界ではすでに信用を喪失しており、日立はその中で信用を構築してゆく新たな苦労が加わった。しかし亀戸工場の設立が日立のメカトロメーカーになる端緒を開いた。

水車、ポンプ、巻揚げ機、送風機、空気圧縮機、起重機の製作が可能となり新たな事業拡大の好機となった。

＊　＊　＊

大正８年11月13日夜、大型変圧器の試験場で10ｋＶＡ変圧器10台の温度上昇試験を行っていた。試験工が２人30分交替で変圧器の温度上昇を読み取りデータを記録する。

１人はベッド代わりの木箱の上で寝ていた。もう１人は温度上昇を読み取り記録を取る。椅子に座って暖を取るため火鉢代わりにおかれたバケツの炭火をボンヤリと眺めていたが連日の徹夜作業の疲れが溜まっていたのか、いつの間にかウトウトと眠ってしまった。

机上の置時計が午前１時を指した頃、バケツからはねた火がベッド代わりの木箱の隅をジリジリ燃やしているのに気付かなかった。そして木箱の火が板張りの床に落ちた。床板は変圧器油が浸み込んで非常に燃えやすくなっている。火はまたたく間に試験場に広がった。

椅子に座っていた試験工が息苦しさと熱さで目を開けると床はもう火の海になっていた。

「ウオーッ」試験工は白煙と炎に包まれ、仲間を起こした。

「起きろ！　火事だ！」二人は無我夢中で火を消したが火は広がるばかりである。30分も経つと辺り一面が火の海となった。試験場内に油缶を入れた木箱が３００個置いてあり、その近くに蓋のない変圧器の油タンクが置いてある。火はこの油タンクに燃え広がった。

社宅から職員や工員が駆け付けた。消火器の備え付けが十分でなかったこともあり工場や鉱山の消防隊が駆け付けた時には大物工場、コイル工場の屋根上まで炎が噴き上がり事務所や倉庫にも延焼し火の勢いは容易に収まりそうになかった。

翌14日午前3時に至り火勢はようやく鎮まった。黒焦げした梁や柱がまだくすぶり無数の部品や機械類の痛ましい残骸が辺りに転がった。幸いにも2人の試験工ほか全所員の生命は無事であった。

高尾の電報を受けた浪平は14日早朝上野発の汽車に乗った。助川駅まで5時間かかる。直ちに浪平は副工場長高尾、設計課長馬場、製作課長秋田、庶務課長柏村、設計副課長森島らと協議した。

浪平は各人からの損害状況報告にじっと耳を傾けた。日立創業から9年目である。主力工場である山手工場が焼失した。再建論や縮小論など様々な議論が出た。

色々な意見が出尽くした所で浪平は副工場長の高尾に意見を求めた。

「高尾君、やるか！」「やります！」浪平の決断は早い。これで方針は決まった。浪平は再建の指揮をすべて高尾に任せた。

浪平は徒弟寮の講堂に社員を集めて今後の方針を次のように話した。

「思わぬ大火で本当に途方にくれた。製作事業を止めようかと思わぬでもなかったが、私はこの事業の前途に相当の自信がある。

殊にみんなの一方ならぬ努力によりこれまでになったのだから、これくらいのことでつまずいてはならぬ、落胆してはならぬと思い、色々考慮の末、至急復興し営業を続けることにした。

ひるがえって考えるとこの製作所はこれまであまりに順調に発展を遂げてきたので私たちの心に多少気の緩みがでかけており、この出火はまさに天が私たちにお灸をすえたのではないか。

少々酷すぎたが戒めのお灸だからここで大いに発奮せねばならぬ。私たちはこの火事により焼け太り、さらに一層大きくならねばならぬ。悲観は禁物。乾坤一擲、奮闘をお願いする」

人間である以上、失敗は誰にでも起こる。その失敗をどうとらえるかで将来が決まる。失敗を成功の基にする。浪平は火災の元になった試験工もその上司も副工場長も責めなかった。浪平自身でその責務を担い、自分は社員たちに奮励努力をお願いした。

主力の工場建屋が焼失し機械も設備も全て失った。顧客へ納入する製品も部品も焼失したので並大抵の後始末ではすまなかった。

ただ幸いにも2月に新設した工程係にある製品進行カードが焼失した製品の復旧に役立った。

被害総額は１００万円に及び事務の混乱と煩雑は翌年の春まで続いた。

しかしこのあと不運の中にも将来へ大きく前進する時代の流れが起きた。

山手工場の火災はまさに天のお灸であった。浪平自身も身を引き締めて前途に向かったのである。

しかし火災事故がまた発生した。先述の通り翌9年3月3日亀戸工場内のモーター工場が全焼した。モーター生産の責任者で初代消防長であった北湯口は責任を感じ駆けつけた浪平の前に平伏した。浪平は、「木造建屋だから燃えたのだ。今度は鉄筋コンクリート建屋にしよう」と即急に復興を命じた。北湯口は浪平の処置に感動しモーター製造に邁進した。転勤する昭和15年までに亀戸モーターシェアを30％に上げた。

浪平は責任を感じて浪平の前に平伏する北湯口を咎める気などとても起きなかった。正直で努力家の北湯口の前途に期待したのである。

＊　＊　＊

浪平は消極策は使わぬ。何事もやればできると信じている。その方策を年中夜も昼も考えていた。8年11月末、浪平は久原鉱業日立製作所の事業を日立製作所が引き受ける契約をし、9年2月1日発起人が株式総数12万株1株25円を引き受け、3日東京市麹町区八重洲町1丁目1番地久原鉱業で発起人会を開催、取締役に浪平、角、六角、高尾ら5人、監査役に堀哲三郎ら2名を選び2月5日取締役会で浪平を専務に選任した。株式会社日立製作所の発足である。日立工場は工場長高尾直三郎の元に4課13係がおかれ設計課長馬場、製作課長秋田政一、庶務課長に柏村護朗、試験課長に森島貞一が就任した。本社事務所は麹町区丸の内2丁目12番地仲15号館。日立製作所は久原から完全に独立した。

10 漁夫の利を占めるな

大正12（１９２３）年9月1日11時58分32秒、史上最大級の地震が発生した。「関東大震災」である。

関東地方は北米プレートの上にあり、相模湾南方にあるフィリピン海洋プレートと衝突する境界で高密度の海洋プレートが大陸プレートの下に潜り込む。この時大陸プレートが海洋プレートに巻き込まれ岩盤が破壊するとエネルギーを放出する。巨大地震は周期的に起きる。

関東大震災で壊滅した東京の街並み

関東大震災が日本の中枢である京浜地方を壊滅し日本の機能が停止した。浪平は電光石火の命令を下した。日立は日本の公器である。被害を受けた京浜地方の復旧に総力を結集せよ。漁夫の利を占めるな！

こうして関東一円で家屋倒壊、地滑り、津波、火災が発生した。神奈川県根府川駅では列車が駅舎と共に海中に転落し数百名の犠牲者が出た。

１３６件の火災が発生し、強風に煽られ火災風が起きて旧東京の４割が焼失した。鎮火に40時間かかり９月３日10時頃まで燃えた。東京上空に積乱雲が発生した。

死者行方不明者10万５千人、その９割が焼死であった。

東京の16新聞社が印刷機能を失い内13社が焼失。焼け残った東京日々と報知は９月５日夕刊を発刊した。

震央から１２０km以内にある１４９のトンネルの内、93トンネルで修理が必要となった。電話も不通となり鉄道も運行を停止した。

日立のライバル芝浦製作所は全焼した。東京電灯は電灯需要の半数、電力需要の４割近くが機能を喪失した。変圧器や配電線路も被害が出た。日本の頭脳と言うべき首都東京と京浜工業地帯が大地震の直撃を受けたのである。東京電灯は複旧を急いだが付近のメーカーは生産不可能の状態であった。

日立は亀戸工場の電機工場が半壊し建設中の扇風機工場と事務所など40万円の被害を受けたが火災は免れた。主力の日立工場は無傷であった。

当然のことながら複旧のため京浜地方からの注文や阪神、九州など全国から注文が殺到し営業の池田は空前の繁忙に追われた。しかし浪平は指示した。

「日立は日本の日立である。日本の頭部とも言うべき京浜工業地帯が惨憺たる状況にある。この際、日立は京浜地方の復旧を第一の任務とする。そのため日立の全工場の能力を発揮せねばならぬ。ほかの地方からの注文はこの際後回しにするもやむを得ぬ」

京浜は日本の心臓部である。関東大地震は日本の心臓部を直撃した。心臓が止まれば日本が止まるのである。日立は公器であり国運隆盛のため奉仕し存在する。

池田は惜しい気もしたが言われる通り地方からの注文を全部断った。日立はまたとない莫大な利益をフイにした。

しかし「人の不幸による漁夫の利を占めるな」という浪平の高邁な哲学が高く評価され史上最大の大震災が世間の日立を見る目を変え日立の信用を一挙に高めた。

また採算を度外視して被災地復旧に尽力したことから、結果的にその後も引き続いて注文をくれる顧客を多数獲得する結果となった。

大正14年日立が開発した国産初の大型電気機関車を鉄道省に買い上げてもらった。

京浜電力から発電機の注文を貰った。同社に馬場と大学同期で山田康太朗という人物がいた。山田によると明治から大正に亘り国内の発送電設備はすべて外国の輸入品に頼っていた。そのため一度不具合が起きると外国に問い合わせ、技術者の派遣を要請するなど手間と時間とカネを必要とした。

電力会社としても一刻も早く国産の優れた発電設備を望んでいた。日立が当初から国産技術を標榜し開発を進めていることは聞いていたが、いかにせん歴史が浅く実績に乏しいため会社としても採用に至らなかった。

大正14年京浜電力は国内最大の1万kVA水力発電機2基を長野県梓川上流の奈川渡に設置することになり、当時としてはかなり冒険であったが日立に発注した。日立では馬場が設計に当たり発電機外周に風洞を付け、熱風を室外に放出し室温上昇を抑え騒音を防止した。この実績により京浜電力では国産品導入の機運が高まり、昭和に入ってから3カ所にある発電機を一つの親発電機で制御する自動運転発電を導入した。この設計も馬場がやった。

東京電灯ではアメリカWH製やドイツシーメンス製を使う声もあったが担当が営業の池田の友人であり池田の信頼が厚くできるだけ日立製品を使うように取り計らった。

鉄道省は回転変流器が欲しいと言ってきた。東京市電からも同じ要望があったが、これまでの経緯から鉄道省に引き渡すことにした。

馬場は9月11日東京全市の現場を見て回り、可能な援助を調査した。回転変流器を日立得意の昼夜作業で完成し火花もピタリ止まった。万世橋ガード下に枕木を井桁積みして仮据付け試運転を行った。この設備は東京とお茶の水間の給電設備として東京復興の先駆となった。

12月下旬、鉄道省局長吉原重蔵が日立まで来訪し省としてお礼を述べている。メーカーがお客筋から礼を頂くことは希有のことであり馬場は夢かと思った。

大正13年4月大阪市電の難波、船橋両変電所用20kV 50万kVA輸入遮断機十数台、配電盤

一式の注文、京都電灯から配電設備一式の注文があった。

大正14年日本電力から15万Ｖ１５０万ｋＶＡ遮断機２台の注文があった。電力会社として初の国産15万Ｖ採用で日立の関係者を喜ばせた。

かくして日立の配電盤は躍進の時代となり３年間に15万Ｖ級遮断機は輸入品を駆逐した。台数でアメリカＷＨ社を上回り日本第１位となった。

一方、政府は大震災の翌日９月２日山本権兵衛首相が就任し、27日「帝都復興院」を創設し内務大臣兼帝都復興院総裁に後藤新平が就任。後藤は「震災復興計画」を提案した。

被災地を一旦政府が買い上げ、道路を拡張、区画整理、インフラを整備する。自動車社会の到来に備え低速車と高速車のレーンを分け１００ｍ道路や電気、ガス、水道、電話の共同溝化、各所に防災公園の建設など欧米都市に見倣い江戸時代以来の壮大な近代都市計画をまとめたが、結局は経済状況や政党間の対立などで当初予算の30億円を５億円に縮小し議会に提出した。

「災い転じて福となす」という故事がある。復興は大震災を転じて東京を先進近代都市にする、長く続いた不況を終わらせる絶好のチャンスであった。

大震災の10年後アメリカ発の世界恐慌でルーズベルト大統領は「ニューディール政策」を提唱し公債発行、財政出動し銀行や農産業を救済し大規模な公共事業ＴＶＡ計画で需要を生み出した。これで銀行も息を吹き返し農業も産業界も蘇生した。公共事業は莫大な雇用を生み出した。後藤の提唱はニューディール政策に先行する復興政策であった。同じような状況が関東大震災により起きた。何故このような政策を取れなかったか。質素倹約だけでは生きてはいけぬ。明日の日本を目指し勤勉礼節な国民が働ける経済環境を生み出す。景気サイクルを回すのが政府の役目である。政治家も国民も知恵が足りなかった。

浪平は大震災を機に日立の信頼を高め大躍進を果たしたではないか。日本政府にできぬはずがなかった。

肩書や勲章や地位名声名誉を浪平は好まぬ。しかし二流政治家ほど勲章や肩書を好む。つまらぬことで政争を繰り広げる。ダメな国ほど意見が集約せぬ。関東大震災当時の日本はまだその程度だった。震災復興のため国のため、何を為すべきかより政治家同士の派閥争いや私利私欲が優先した。復興予算を絞ることしか知恵がなかった。ルーズベルト大統領のニューディール政策のようにやれば良かった。

こうして震災復興は5億円の縮小予算で進められたが、自動車の普及は予測通り増え大正12（1923）年1万3000台、1925年2万4000台、1926年4万台となった。隅田川の隅田10橋のうち9橋が壊れ、両国、厩、吾妻を東京市が、残り6橋を復興局が建設。帝都復興局は数年間で142の橋梁を建設し東京市が313を建設した。

アメリカの義援金で公立小学校校舎を鉄筋コンクリート建てに。52の公立小学校に公園を併設。東京三大公園（隅田、浜町、錦糸町）もこの時造成した。横浜には山下公園など4公園造成。

1930年3月24日昭和天皇が東京市内を巡行され26日に帝都復興祭が行われた。

しかしもう少し日本に政治力が備っておれば空前の震災景気が到来したはずであるが、時代は悪い方向へ流れ天災と人災が続出した。

１９２５年　北但馬地震、治安維持法制定
１９２７年　北丹後地震、金融恐慌
１９３１年　満州事変
１９３２年　五・一五事件
１９３３年　昭和三陸地震、国際連盟脱退
１９３６年　二・二六事件
１９３７年　日中戦争
１９４１年　第二次世界大戦

世の中の景気が良くならぬと政治は空転する。どこかに国民の不満が蓄積する。関東大震災以降、天災と人災が交互に起き次第に人災が大きくなった。

時代は蓄積した不満がクーデターの形で現れ、民主的議論より軍事力で世の中を動かそうとする軍の力が強くなり、第二次世界大戦勃発まで止まらなくなった。大地震は天の警告ではなかったのか。

政治力で景気が良くならぬと次は軍事力で強くなろうとした。軍事力に頼る戦争は惨憺たるものである。日本の大都市はＢ29の爆撃で焼野が原となり３１０万の死者がでた。不況や不景気は人災である。人の力で直すことができる。何が起きても浪平のように団結して目標へ邁進すれば願いは成就する。関東大震災はそれを日本に教えてくれた。

11

大リスク大リターン全戦全勝

１９２０年代のアメリカは永遠の繁栄と言われるほどの好景気に沸いた。欧州を主戦場とする第一次世界大戦の復興需要で工業製品も農産物も輸出が増え、国内では都市化が進んだ。自動車の普及で郊外に都市が発達し住宅需要が増え、ヨーロッパからの帰還兵が郊外の都市に住宅を持ち、公共事業で全国に道路網が整備され、さらに自動車産業が繁栄した。アメリカの不動産と株にカネが流れ、さらに世界から資金が流入した。

しかし１９２０年代末になると繁栄

昭和肥料の水電解槽工場

出典『日立製作所史１』

世は世界戦争時代である。不況の嵐が度々吹き荒れた。不況は企業を強くするために吹き荒れるのだ。浪平は全社員の力を結集し大リスクに挑戦しすべて乗り越えた。不況を次の成長の契機と考え巨額投資をした。

の底に在庫がたまった。相次ぐ投資で生産過剰となり次第に売れなくなった。売れない会社の株を持っていても損するだけ。不安が不安を呼び、株が一斉に売られた。

1929年10月24日ブラックサーズデー、NY証券取引所で株価が暴落。11月には3分の1まで戻したがそのあと3年間で株価は80%以上、下落した。

■水電解槽

日本はアメリカ発世界不況の煽りで不況となり電力需要が減少したが新たな事業も芽生えた。

味の素を企業化した鈴木商店社長の鈴木三郎助は電気化学工業を興す目的で長野県千曲川に発電所を計画し総房水産社長の森矗昶（のぶてる）を招いて発電所建設に当たらせ東信電気を設立したが大戦後の電力需要増大により1925年から東京電灯へ売電する発電専門会社となった。

ところがそこへアメリカ発、世界恐慌の来襲で電力値下げ競争が始まったのである。

鈴木三郎助と専務の森はこの余剰電力を利用して東京電灯と東信で昭和肥料を設立し石灰窒素と硫安の肥料生産事業を行うように方針を転換した。

硫酸アンモニア、すなわち硫安はアンモニアと硫酸の化合物である。アンモニアは空気を液化して得た液体窒素と水を電解して得た水素を化合させる。この硫安製造業を国産化する。そのために大規模な電解槽が必要となった。

化学肥料は農業生産に革命をもたらしたが硫安事業は輸入に依存し国内メーカーはすべて外

国技術に頼っていた。アンモニア合成は日本窒素肥料がイタリアのカザール法、窒素工業がフランスのクロード法、大日本人造肥料はイタリアのファイザー法を導入し製造設備も輸入に頼り据え付けから試運転まで外国人の指導を受けた。さらに外国に高価なロイヤリティを支払う。こうして外国企業のヒモ付きとなった。

誰も国産化できるとは考えていなかった。昭和肥料も例外ではなく当初はイタリアのモンテカチーニ社と仮契約を結んでいた。

しかしこの技術導入は同社特許を契約している大日本人造肥料の承認が必要となる。常務の高橋保は南満鉄経由の欧州派遣団に加わり旅行中にたまたまその途中で東京工業試験所技師から実用化されてない国産特許があることを聞いた。高橋保の上司森は国産主義者で国産化を支持した。

東工試法と国産設備による硫安製造計画は、硫安業界はもとより経済界に大きなセンセーションを巻き起こした。その中には当然批判もある。金融業界も硫安業界も冷たい態度であった。必ず失敗する、昭和肥料のある川崎でアンモニアの臭いがしたら首を差し上げるという話もあった。

しかし社長の鈴木と森は社内の不安を抑えて東工試と話し合いを重ね、東工試から国産特許を無償で工業化する許可を得た。

こうして昭和４（１９２９）年11月、１２５０馬力３００気圧混合ガス圧縮機と循環器各３

台を神戸製鋼所に発注。続いて同12月、日本最大６０００kW回転変流器10台と電解槽２５００槽を日立製作所に発注。さらに石川島造船所、芝浦、三菱電機、富士電機製造、島津製作所などに諸設備を発注し95％国産品を採用した。

昭和肥料は会長に東京電灯社長の若尾璋八、社長鈴木、専務が森である。このような状況下、石灰窒素販売に最大手の電気化学工業が問屋に圧力をかけ販路の壁に直面したが、森はたまたま夜行列車で知り合った全国購買組合連合会の千石興太郎と意気投合し購買組合に直接石灰窒素を卸す契約に成功した。日本初の国産硫安製造に成功した昭和6年3月29日。森を信頼し擁護した鈴木三郎助が国産化事業の成功を見届けて永眠した。

硫安も森は全国購買組合連合会を通じて販売した。こうして遂に硫安製造事業の国産化に成功した。この成功の裏に日立製作所に発注した日本独自の国産電解槽の苦心作があった。

＊　＊　＊

明治から昭和にかけ日本の事業家の中には世界不況の大嵐に敢然と立ち向かった大事業家がいた。いかなる不況の中でも負けてたまるかと闘志を燃やし打開策を探求すればかならず道は開ける。鈴木三郎助と森矗昶は偉人である。次々と不況克服のため新事業を興した。

まだ経験のない電解槽と日本最大容量６０００kW回転変流器を受注した浪平の日立製作所はいかにしてこの難関を突破したか。

日立がもし電解槽に失敗すれば日立の信頼失墜は取り返しがつかぬほど大きいことは目に見えている。それより大きいのは硫安業界、電気化学工業業界、ひいては日本産業界に国産化に対するネガティブな風評を生み出すことである。浪平は何があろうと絶対に失敗を許されぬ状況に追い込まれた。

また、これまで隆盛を極めた電機業界であったが、不況の来襲で電力過剰となり関連機器の注文が取れなくなっていた。工場では無作業の職工が１００人、２００人と発生した。昭和４年6月12日工場長の高尾は営業部長の六角三郎に手紙を送った。

……９月まで仕事はあるが10月より激減する。10月31万円、11月34万円。12月はわずか３００円。10月末から11月初めには現在の状況では工場がカラになりはせぬかと案じている。以上の有様であり至急何分のご尽力により受注額を増加致したくお願い申し上げる……。

高尾はなんとしても月１１０万円の注文が必要であった。不況の大嵐は恐ろしい勢いで近付いてきた。

昭和４年10月17日高尾は工場の係長会議で次のように話した。

「今回の不況は一時的なものではなく前途暗澹たるものがある。先月末本社で前途いかなる方針で進むべきか検討した結果、この際委縮してはいたずらに会社を見殺しにすることになるからどこまでも突き進み予定の月１１０万円はどうしても取るということになった。目的達成のため工場としても思い切った値下げをやらねばならぬ。納期を早めねばならぬ。品物の選り食いなど贅沢は一切言わぬ。金額がまとまればよしとせねばならぬ。工場は注文がこなければ仕事がない。従業員の解雇だけは何としても避けたい」

営業はモーターやポンプなど一般の町工場が購入しそうな機械のカタログを持って町工場を回ったが不況で相手にしてもらえなかった。

日立工場では節約のためペン先、鉛筆、消しゴム、ノート、用紙など新品は旧品と引き換えとし誰もが自分の名前を書いて使った。鉛筆はホルダーを付けて短くなるまで使った。用紙は使用済みの裏紙を便箋代わりに使い、封筒は使用済みのものを社内便に用いた。1銭を嗤うものは1銭に泣く、みんなで倹約した。

他の工場も節約のため様々な工夫をした。秋田政一が工場長を務める亀戸工場では番茶を禁止して客にも白湯を出した。

工場は注文がこなければ社員も職工も食ってゆけぬ。農家は凶作になれば娘の身売りや一家心中もある。工場は注文がなければ従業員を解雇するしかない。職員や工員を家族のように大事に思う浪平は従業員の解雇を何としても避けたかった。注文品の選り好みをしている場合ではなかった。

こうして食いつなぐため絶体絶命の状況の中、営業が大魚を釣り上げた。それが昭和肥料の電解槽2500槽と6000kW回転変流器10台の大型受注であった。まさに天の恵みか。浪平を天が助けたのではなかろうか。

東信電気は日立の重要顧客で大容量交流発電機を納入しており営業の池田亮次は東信電気の重役高橋保と親しかった。肥料会社設立の話は当然、池田の耳に入った。営業部長は六角三郎で営業所が三つあり池田は第３営業所、第２が竹内亀次郎である。この仕事こそ現在の苦境を乗り切る助けの神になると考えた池田は竹内に今回は最初から議論抜きに誠意をもってお互い協力して昭和肥料にコンタクトしようと話していた。

12月26日、高尾は浪平に手紙を書いた。

「昨夜池田氏より電話あり。回転変流器９組で85万円くらいまでとし、かつ温度上昇50℃を40℃にしないと見込みなしとのこと故承知の返事をしました。温度上昇を下げて85万円ではほとんど問題外であるが昨今の状況では目ぼしき注文もなく、かつ、近き将来においてもありそうに思えず泣く泣く受注しこれから骨折り何とか工夫してやるより他に道なしと存じております」

一方、池田の営業陣は回転変流器も受注したいと昭和肥料に日参したが、なかなか返事が貰えなかった。

社長の鈴木三郎助が「工場は芝浦の近所だから電解槽は日立だが回転変流器は近所つきあいもあり芝浦に」という意向でそのまま12月30日になった。会社はもう年末休暇に入り営業の秋田は池田の家に泊まり込み、朝から池田と一緒に昭和肥料を訪ねたが鈴木の考えは依然変わらなかった。しかし池田と秋田は帰らず粘り続けた。

昭和肥料側は芝浦に電話して連絡をとろうとしたが年末休みで連絡がとれず、幹部の自宅に電話したが熱海に行っているということで誰とも連絡がとれなかった。日立は連日やって来るし、この日も来ておりまだ帰らぬ。この熱心さにほだされて遂に鈴木は回転変流器も日立に発注すると決断した。

池田と秋田の粘り勝ちであった。この知らせを聞くや池田はすぐ東京駅に駆け付けた。九州へ転勤するため汽車に乗る直前の関岡喜六に、

「君が苦労してくれた昭和肥料の注文が全部決まった！」

と言いながら関岡の肩をたたいた。

関岡は当時丸の内15号館の技術係で1万A電解槽1式、６０００kW回転変流器10台、同受電盤設備および配電盤一式、工場内低圧配電用銅帯の見積もりに従事した一人であった。係全員で連日10時頃まで残業した。夕食は丸ビル角の竹葉亭の50銭の鰻飯を食べ日曜出勤も当たり前という状態で見積もりを完了しその後すぐ転勤となったのである。

翌正月2日、関係者が集まりこれからの方針を決めた。

①設計図を急ぎ完結する
②試作品は何ものも犠牲にして急ぎ作業する
③外注可能なものはできるだけ外注する

④必要な工作機械を調査し大特急で注文する
⑤溶接工をこれから多数採用し養成する
⑥作業場には新築落成した海岸新工場を使用する

海岸新工場とは浪平の決断で買収した土地に4月に建設予定の工場である。

昭和4年6月22日、日立工場副工場長の馬場は担当の城豊喜を連れて昭和肥料の専務森と常務高橋保に会った。高橋は馬場の前に図面を広げた。

「こういう構造の電解槽を造って欲しい。日立ならきっとできる！」

高橋が提示した図面が完成度の高いものでないことは容易に想像できる。

日立工場では化学工業の経験ゼロである。

「大変ありがたいお話です。少し研究させて頂きます」……とだけ馬場は答えた。注文を出す先方も素人である。受ける方も電解槽の経験はゼロ。注文はノドから手がでるほど欲しかったが、「任せて下さい。やらせて頂きます！」とは言えなかった。

しかし馬場の脳裏に勝利の方程式がひらめいた。電解槽は２５００槽の注文であるがまず試作品を造り運転条件に合わせて試験する。

欠陥があればそこを改良する。これを何回でも繰り返し１００％合格するまで何回でも改良する。馬場は考えた。おカネのことなど二の次。立派な製品を納入すれば日立の未来が開け日本の未来が大きく開ける。製品に自信が持てるまで試作を繰り返す覚悟を決めた。納期が迫り時間はないが日立には徹夜残業という伝家の宝刀がある。浪平の命令で平野は10日を要する電車モーター修理を2日半でやり遂げた。馬場はすぐに試作を始めた。

当時の電解槽は欧米の約10社でしか製作されておらず昭和肥料が提示したのは日本独自の構造で外国にも例がなかった。工作と溶接に高度の技術を必要とした。どうやら昭和肥料も当初は自家製を考えたようだが手に負えず日立に話を持ち込んだらしかった。

電解槽は両極間に10V直流電圧を印加して1000A電流を流す。これを10個並列にして100kW 10V1万Aを通電すると陰極から水素が陽極から酸素が発生する原理で水素発生量は酸素の2倍である。

両極間に1m角のアスベスト20枚を貼り締め付けて固定する構造である。筐体は薄鉄板を溶接する構造で特に作業困難なのは電解槽のカバーで、薄鉄板を溶接し長さ1m、幅5cm、深さ15cmにポケットが21個ついた構造である。これをガスもれゼロ、液もれゼロの精密溶接で仕上げる。

陽極と陰極から発生するガスは水素と酸素である。混気が起こると混気爆発を起こす。爆発を1回起こすとすべてが吹き飛んでしまう。日立だけではない。昭和肥料も吹き飛んでしまう。日本の産業界に暗雲をただよわせることになる。日立で即日試作方針が決まった。機械設計は城、化学は杉田収。

6月27日、2人は目黒にある東工試に出張し3日間調査した。材料メーカーも訪問した。工場では馬場を指揮官として回転機、開閉装置・配電盤、変圧器の3部門から人員を投入しプロジェクト体制を構築した。総指揮官馬場の下に設計は馬場兼務、現場は飯島、試験は鎌居、研究は秦の4部門体制とした。

必要資材も膨大である。極板用材1500トン、ターミナル材1750トン、ボルトナット600トンなど。一度に発注すると市況に影響を及ぼすほどであったが不況下であり資材購入には好都合であった。

工場長の高尾は技術上、採算上の問題点について浪平に手紙を書いた。

「納期は来年いっぱいとの事。本年中に実験を重ね、図面を直し、来年1月より生産を開始する、4月より納入を開始する……大体として私は引き受けた方が良いと思っております。一番の問題は考え不足で製品が上手くいかぬ事です」

また11月28日には笠戸工場長古山石之助宛てに、

「次々難問を持ちかけられ往生している。当方も尚実験未了の点あり不明点が多い上に、最近は全部の設計を申し付けられ当惑している。先様も素人であり色々異論がでて、当方はどこをどうすればよいかさえ解らぬ」

高尾もホトホト困り果てた状況が読み取れる。このような弱音を工場長が吐いては社員の不安を募らせるだけであるが、あまりに事が重大で問題解決に時間が足りず発注者の昭和肥料も言うことがまちまちで発注者は素人で受けた方もこんな難しい電解槽は初めてである。しかし嘆いている場合ではなかった。

3月試作A号が完成した。ガスもれ、液もれ、ガス純度不良でテスト中止。不良個所を手直ししたB号はいくらか良くなった。5月C号機が完成したが電極表面に予期せぬ酸化膜が付着した。ガス純度が改善されず、到底モノになりそうもなく途方に暮れた。

12月5日高尾は浪平と営業の六角三郎に手紙を書いた。

「馬場君が主にやっておりますが解らぬ点が沢山ありまとまりがとれぬ上、不安が多いので中心になった馬場君が痩せるほど心配してやっているが、ある時はやるような考えになり、またある時は箸にも棒にもかからぬ話になり、極めてやりにくく困っております。私自身も判断が付きかねます」と高尾は嘆いた。

「日立と心中するつもりでやっていく！」と昭和肥料の森矗昶は浪平率いる野武士団の底力を信用した。浪平もまた当然であるが迷った。経験のない仕事であり、たった一度でも混気爆発すれば昭和肥料を破滅に導くことになる。それを承知で引き受けるのはまさに乾坤一擲の大勝負であった。

ここでギブアップはできぬ。設計者も試験係も現場も協力しガスもれ、液もれ、ガス純度不良の原因を徹底究明し対策したD号の試験では期待の持てる試験結果を得た。

馬場考案の櫛型カバーは作業に難があり昭和肥料方式を望む声も多かったが、馬場は頑として動かなかった。現場の飯島も馬場の櫛型カバーは「できる」と賛意を示した。いかに難しくとも性能確保を最優先する。

こうして溶接作業は困難を極めた。溶接工を速成教育するため1級工はカバー専門、２級工はタンク、３級工は電極板、４級工は機密を要せぬ部品溶接という具合に作業を専門化し1級工は全工場から集めた20歳前後の若い工員25名からテストで10名を選び、半年以上訓練した。

もう一つが電極間アスベスト。馬場は日本アスベストC号の合格品中の良質品を買い付けるように手配したが要求するアスベストの手配がなされず、ガス純度が上がらず、工場幹部会の席上で「わしはやめる！」と言い出した。

工場の最高幹部でありプロジェクトの総指揮官が何という無責任なことを言うのかと思うが、それほど馬場は責任を感じ、重圧を受けていた。

工場長の高尾は、「今、君にやめられては、日立はほかに仕事がないゾ。それは困る。馬場さん、アンタ、絹の座布団の上で小便たれることになるぞ！　小便だけは止めてくれ！」高尾は馬場をなだめ、激励した。

馬場はすっかり憔悴してノイローゼになりかけた。電解槽の先行きが見えてきた頃、静養に出て元気を取り戻した。

試作はE号まで進み5年5月31日日立式試作品の図面がようやく出来上がり納入品の設計方針が８月９日決定された。

電解槽の通電試験は隔離した小屋で行い、外で消防隊がホースを持って待機した。みんな真剣であった。電解槽の成否には日立の運命が、否、昭和肥料、ひいては日本産業界の運命がかかっていた。

こうして納入品4台の製作が始まり10月27日完成した。納入品の試験結果は水素99・8％、酸素99・6％の高純度のガスを得ることができた。

昭和6年4月、6000kW回転変流器が完成した。6月初旬電解槽2500槽を完納した。据え付け試運転に馬場も出かけ、作業服に身を固め、首に手ぬぐいを巻き、陣頭指揮を執った。完納までに要した延べ人数は7000人。日数約365日であった。

「日本近代化学工業創出の原点」（亀山哲也）によると昭和肥料の東工試法による国産アンモニア合成法の生産能力は実に年産15万トンである。当時外国の技術を導入した三井化学はフランスのクロード法で年産1万トン、旭化成はイタリアのカザール法で年産1万トン、日産化学はイタリアのファイザー法で年産3万トンである。昭和肥料と東工試は日本の近代化学技術が外国から自立する日本近代化学工業創出の原点となった。

その後、メタノール、尿素、人造石油、ポリエチレンなど次々と国産化による近代化学工業の創出を主導したとして高い評価を受けた。

「やればできる」という浪平野武士団の電解槽の苦心作は日本化学工業近代化の縁の下の力持ちの役目を見事に果たした。

工場幹部会の席上で総指揮官の馬場が「ワシはやめる！」と言った苦心作の電解槽は現在も東工試及び現昭和電工の記念館に保存されている。

■海岸工場建設

アメリカ発世界恐慌の煽りで不況となった昭和３年から６年にかけ浪平は大きな決断を下し助川駅（現日立駅）近くに10万坪の工場用地を買収した。

工場長の高尾は昭和２年12月から３年７月まで外遊し帰国して、助川駅付近の小高い山道や田んぼ道を歩いて回りこの辺りの略図を書いて工場の位置を記入して検討している。この付近は海岸線が南北に長く伸び海水浴場もいくつかある。常磐線が海岸線に沿い南北に走る。東方は太平洋の海原が広がり西方は阿武隈山地の支脈が屏風のように南北に伸びている。海岸線と屏風の間に凡そ２㎞の平地が南北に伸びる。

現在の日立工場は駅から徒歩５分である。工場中央部に高台があり駅に近い側の平地に電気機械の組立工場、南側の平地に製罐工場がある。

中央の高台から見ると東方の太平洋に日が昇る。日本に黎明の日が昇るが如くである。引き込み線路を入れると製品発送は鉄道に直結する。製品や原材料の輸送インフラが整備されている。

何より日立村で創業した日立製作所の主力工場が東京や水戸ではおかしい。日立村の日立製作所日立工場はこの土地しかなかった。

当時日立の工場は山手にあり海側に新たな工場を作ることには反対の声も強かったが浪平はそれに対し、「山手工場は試験工場で本当の工場はこれから建設する」と答えた。

時代は不況の最中である。しかし浪平は「電気機械の製造は文化の向上に伴うものでいつかは伸びねばならぬ。日立で伸ばすとすれば山手工場では駅から遠く唯一の軽便鉄道にたよるのでこれがボトルネックになる。どうしても助川駅近くでなくてはならぬ」と考えた。

浪平は10年先を見ていた。不況は嵐のようなもので5年も10年も続かぬ。やがて日本晴れとなり景気は良くなる。不況の今こそ土地買収も安く手に入る。工場建設資材も安く工事費も安く納期も早くできる。坪単価3～4円、高くても5～6円、総額で40万～50万円である。

不況の最中である。この資金調達のため浪平は主取引銀行である第一銀行に話を持っていったが案に相違し簡単に断られた。銀行も融資金が逼迫していた。そこで同行の元役員で親友の木村雄次に斡旋を依頼したがこの線からの話も断られた。さすがの浪平も困惑した。次に日本興業銀行に足を運んだがここも断られた。

最後に足を運んだのが日本勧業銀行で後年同行の総裁を務めた石井光雄に接渉した。浪平の先輩に当たる木村雄次の紹介もあり石井は静かに浪平の計画と資金獲得に骨折った経緯を聞き終えると、

「よく解りました。他の役員や係の者と相談しないと何とも言えませぬがしかしできるだけのことはしてみましょう」

と答えた。浪平はお礼の言葉を述べたかったがすぐに言葉が出なかった。

「石井さん、有難うございます」

「いや、お礼の言葉はまだ早い、何とも解りませんよ」

石井は笑いながらそう言った。融資の３００万円は日本勧業銀行としても相当な融資であった。しかるにこの借款交渉中、浪平は勿論、幹部も誰一人総裁へも石井へも依頼にも来ないし説明にも来ず、借款の成立後も遂に誰一人挨拶に来なかった。どうも浪平は良き事業、良き経営者には銀行は進んで資金融通し事業の進歩発展に助成するのが当然というくらいに考えていたのではあるまいかと石井は述懐している。

浪平は昭和不況の最中に大胆と言うか、まさに前途大いに帰するところあってか工場整備を着々と進めた。そして勧銀に限度１千万円見当までの融資を申し込んできた。石井はその計画書を見て、この不況の最中に思い切った構想で野放しに賛意を表することは躊躇したが結局８００万円まで融資することにした。その後財界も逐次景気が回復し日立本来の取引銀行である興銀及び第一銀行も資金が充実し得意先を返して欲しいとの申し出があり融資決定限度は全部使用せず逐次日立は興銀と第一に勧銀の取り引きを肩代わりした。

昭和４年11月浪平は海岸工場地鎮祭を行った。これが日立創業以来20年で初めての式典であった。

この前月の24日アメリカのニューヨーク証券取引所で株価の大暴落があり世界恐慌が始まっ

たのである。この年の日本企業の事業計画資金は前年比28%となり日立の動きに世間はまさに驚愕した。

「国をあげて不況のドン底に呻吟している時この膨大な土地を買うとは何事か」と噂した。偶々小平家の法事に参席した親友の渋沢元治は、「どうかしたのか。ソロバンはじいていないのではないか」と言った。

「小平さんくらい、ソロバンの確かな人はいない、土地は不景気の時でないと買えぬ」鮎川義介は反論した。

浪平は世界恐慌の煽りを受けて金融業界も逼迫し、企業も倒産し失業者が増える、その最中に巨額の投資をして土地を買収し工場を建設した。しかし金融業界を始め、世間を驚かせた海岸工場の土地買収は浪平の予言通り昭和7年に景気が回復し日立大躍進の主戦場となった。天は「嵐は長くは続かぬ」と教えた。世界恐慌は何れやみ次は世界景気が訪れる。冬来たりなば、春遠からじ。

後年、浪平は不況の最中10万坪の土地買収の資金融資に厚意を受けた木村雄次を日立の監査役に迎え、厚意を深く謝し逝去されると恰も社葬の如く日立の職員で葬儀を執行した。そして勧銀融資当時は一度も顔さえ見せなかった浪平が態々石井の自宅を訪れ丁重にかつてのご厚意に謝し木村の後任として監査役に就任をお願いした。浪平が十数年間深く胸中に秘めていた人情と道義心の厚さに自ずと目頭が熱くなったと木村は述べた。

浪平は受けた恩は決して忘れぬ仁義を重んずる武士であった。

■**別れ……**

工場長の高尾には辛苦の歳月が続いた。

昭和４年10月、受注月１１０万円が目標であったが９月83万円、10月69万円、11月74万円と目標には程遠く日立工場は帰休、配置転換など対策したが月毎に深刻化する不況には勝てず５年５月１６０名余りを解雇した。

９月以降は皆勤手当を廃止。現場は火が消えたように閑散となった。11月高尾は涙を呑んで再度人員整理に踏み切り所員、役付工員、職工の計３８１名を解雇した。11月の係長会議で高尾は次のように現状を説明した。

「受注８月30万１０００円、９月27万８０００円、10月23万４０００円、11月はさらに悪化し10万円に達しないのではと案じている。10月の値引き率は36・１％で話にならぬ。現在の注残は５２０万円でこのうち１８０万円は電解槽でこれを差し引くと残り僅か３３０万円。これは大正10年の不景気の時と同じ数字である」

この中で電解槽は３００人から４００人分の作業量に相当した。しかし電解槽の作業完了と共に作業量は底をついた。翌６年５月所員20名、職工９８８名の大量解雇を行った。本社からは「早く整理せよ」と要求が来る。高尾は「現場を預かる者としてそう簡単にできぬ。明日から妻子を抱えて路頭に迷う連中が何人もいる」と本社宛てに手紙を送った。工場内に職工がポツリポツリとしか働いていない写真を添付し、

「製品の影は殆どなく深閑とした建屋に初夏の陽光が差し込んでいる」

という悲痛な手紙を本社幹部と各営業所に送った。

6月19日笠戸工場長の古山から高尾に返事がきた。

「工場の内容、実物を手に取るように見せられ涙が出た。こんなことが何時までも続けば人間の乾物が続出する。笠戸も900名近くの職工を300名整理したがまだ帰休が70〜80名ある始末。殆ど案の出しようがございませぬ」

浪平は真夜中にムックリ床の上に起き上がり考え込むことがしばしばであった。何も言わなかったがのちに長男の良平には、述懐した。

「色々考えたがグズグズしていると退職金も払えぬことになりそうで今の内に退職金を払い別れた方が良いと思いそれで決心した」

浪平は解雇を別れと言った。従業員を家族のように大事に思う浪平に解雇は仲間との別れを意味した。家族を失うに等しかった。

不況を脱出した昭和9年8月、浪平は資本金倍額増資を行い2000万円とし東京証券取引所に上場した。そして従業員全員8000人に臨時賞与を支給した。さらに先の不況時に解雇した旧従業員にも賞与を贈呈した。9月には創業以来の職員ですでに他界した者の慰霊祭を行

い、その霊前に賞与を供えた。浪平は解雇した仲間も死亡した従業員も決して忘れなかった。日立工場は『25年回顧録』を編纂し創業以来の悪戦苦闘の足跡を記録に残した。

■８０００馬力ミルモーター

昭和肥料の電解槽を6月初旬に完納した。この年の9月中国大陸では満州事変が勃発した。日本の関東軍が奉天郊外の柳条湖で南満鉄の線路を爆破した。これを発端として関東軍が満州全土を占領した。これを契機に日本は戦争へ突入していくが国内ではまだ不況が続いた。

そこへまた営業が大魚を釣り上げた。当時官営の八幡製鉄所第３大型工場は日本で唯一の超大型物圧延工場で世界トップクラスの規模であった。

主電動機は米ＷＨ社誘導電動機（75ＲＰＭ定格出力６０００HP、最大９０００HP）は既に旧式であった。

また鋼矢板（シートパイル）は輸入に頼ったが昭和6年から大型長尺鋼矢板を造るため一部設備を改良しＷＨ製モーターを取り替えることにした。

八幡の電気関係動力部長は岸原、電気課長が立花、その下に安食という技士がいた。安食は日立の宮尾蓧と東北大学工学専門部の同期、八幡入社以来製鉄電化一筋に研究してきた人物であった。

八幡内部ではこの工事に失敗すると超大型長尺鋼矢板の国産化ができなくなり電機部門に大

きな痛手となる。失敗は許されぬ。当然岸原以下慎重にならざるを得なかった。芝浦は同種製品の経験を持っていることから岸原はほぼ芝浦への発注を決めていた。

「経験のない日立にそういう大きなものが間違いなくできるのか」

八幡の担当者は日立の芦田剛三が「見積もりさせて下さい」と言うのを聞いて相手にしなかった。

「知らなくてもその分勉強しますから間違いはございません。間違わぬよう何回でも研究しますから間違いはございませぬ」芦田は粘った。

芦田のこの粘りは何処からきたのか。前年の6年、日立は昭和肥料の電解槽を試作に試作を繰り返し見事に国産化に成功した。その経験が営業の力になった。営業は日立の技術陣を信用した。注文さえ取れば技術陣が何とかする。芦田は粘りでとにかく見積もりを出せるところまでこぎつけた。

宮尾は安食と同期のよしみで安食に会ったが何も出す資料がなかった。しかし入社2年目満州鞍山製鉄所100トン溶鉱炉に原料を供給する機械の電気設計と現地据付けの経験があり一生懸命やればなんとかできるという信念があった。宮尾は、

「安食君、モーターの大きさは違ってもやり方は同じ、大丈夫、できる」

と断言した。自信に満ちた宮尾に安食は、「ヨシ、日立がやるなら、やってみよう、技術的にまず検討しよう」となったのである。

宮尾が馬場に予備設計をしてもらい見積もりを出したところ一番札になった。みんなで大喜びしたが芝浦との間に値開きが小さいことから芝浦にやらせる方が安全だという声が八幡内部で出たのも当然であった。

「工場の技術陣に現場を見せてコストダウンできればそれだけ値引きします」

と馬場が工場の人間を引き連れ泊まり込みで検討した。性能や品質を犠牲にしては命取りとなる。しかも芝浦へ行くはずの注文を日立の技術力を信用して見積もりさせてくれたのである。コストダウンの余地などあるはずがない。

結局、馬場と営業部長の六角三郎が協議して六角が、「ヨシ来た！」と八幡へ出向いて受注が決定した。

ところが40万円のはずが30万になった。馬場はそりゃ無茶だと言ったがもう話は決まった。六角は「君子は豹変する！」と言って平然としていた。

これではソロバンが合わないことを馬場は解っていたが失敗したら後がどうなるかも解っていた。馬場は胸中で立派な製品を造ることだけ考えた。

しかしこれまで外国製ばかり使い、国産ではムリと思われたものを敢えて日立に発注した八幡も大変な決断をした。浪平が当時八幡の長官中井励作と親しかったこと、六角三郎がかつて八幡に在籍し八幡の技官である海軍技術中将の野田と親しかったことが力となった。

日立は営業担当者から工場の人間までさらに本社の幹部までひとつになり受注獲得に燃えた。

電解槽の成功体験が大きな力になった。

またここぞという時に失敗したら日立の信用は台無しとなるので、立派な製品を顧客に納入するため馬場は採算を度外視し設計に取り組み試験係の鎌居は顧客の立場で製品の不具合を見逃さぬように厳しい試験をした。

かくして八幡製鉄ミルモーターは６０００馬力の記録品であり、受注値が目玉が飛びでる安値であった上に納期わずか６カ月であった。

組立工場は八幡ミルモーターを最優先し他のものを後回しして、日立得意の月月火水木金金＋徹夜残業で試験を重ね設計を手直し設計完了と製品完成がほぼ同時となったが約束通り昭和８年６月完成にこぎつけた。

ところが鉄道輸送がまた問題となった。鉄道は、「こんな大きいものを鉄道でどうするのか」と他人事みたいに相手にしてくれぬ。当時の鉄道は官営である。官営職員は切符切りまで威張りエラかったのである。

発送担当の堀川と溝口は「輸送できなければ切腹せねばならぬ」と粘り強く交渉した。

結局、切腹せずに模型車を走らせ機関車の注水設備や、電灯線や接触しそうな場所を東海道から山陽と九州まですべて事前調査して話を付けた。

あとは製品の重量で重量50トン以上のものは輸送しない規定がある。日立の申請は49・5トンでギリギリである。お役所相手で融通は利かぬ。

「絶対に50トンは超えませぬ」と頑張るしかなかった。隅田駅で計量することになったが一度に50トンはかかる設備がなく２回に分けることになった。

鉄道局から来た検査官数人は会議室で待ってもらい計量が終わる頃に電話し、「これから計量します」と検査官が現場に着く頃には計量が終わるようにした。結果は49・7トンであった。堀川と溝口は抱き合って喜んだ。

もし検査官が「もう一度目の前で計量をやれ」と言ったらやれたか。もし50トンを超えたら切腹したか。危なかった。

モーターの据え付けは八幡で実施したが旧モーターを取り外し、その後に超硬化セメントを打ち込み、その硬化期間３日を含め運転休止期間わずか９日間とアメリカの記録13日半を上回るスピードで終えた。

馬場は「安全、丈夫、立派」の精神を貫いた。

結局48万円かかったが八幡の大型長尺鋼矢板の圧延工場設備国産化成功に浪平の日立が縁の下から製鉄の国産化と電化に大きな役目を果たした。

この時から32年経った昭和40年八幡はこのモーターの修理見積を日立に出したが、これをきっかけに32年間の長きに亘り順調に稼働し続けたことに対し日立に感謝状を贈った。メーカーがユーザーから感謝された数少ない事例であり日立は当時の関係者を集めてミルモーターをテーマとして座談会を開いた。この座談会で会長の倉田主税は、「６カ月で完成したということは今考えると神業と言っても過言ではない」と発言した。誰が考えても神業としか思えぬ。本当に神が浪平の日立を助けたのかもしれなかった。

12 陽はまた昇る

20世紀は世界戦時代に突入し第二次世界大戦で日本の広島と長崎に原爆を投下し終わった。白人は日本を最後の血祭りの舞台にした。日本は日清日露戦争に勝利し第一次世界大戦の戦勝国となり満州事変日中戦争と次第に国民も軍部と共に戦争色が盛り上がった。五・一五事件、二・二六事件と平和主義者はクーデターで暗殺された。要人が平和を称えると暗殺される。

第二次世界大戦における真珠湾攻撃は日本が国際法に違反し奇襲攻撃したことになっているがアメリカは日本にダマされるほどマヌケな国ではない。日本はアメリカの仕掛けた

天皇陛下日立へ行幸　ご説明申し上げる浪平

出典『日立製作所史１』

第二次世界大戦の敗北を新たな日本躍進の契機とする。浪平は心の中で天皇陛下にお誓い申し上げた。

罠に嵌られた（R・B・スティネット『真珠湾の真実』妹尾佐太男監訳　文藝春秋。H・ストークス『英国人記者が見た連合国戦勝史観の虚妄』祥伝社。清水馨八郎『侵略の世界史』祥伝社。産経新聞取材班『ルーズベルト秘録』扶桑社。マックス・フォン・シュラー『「太平洋戦争」アメリカに嵌められた日本』WAC）。

白人の5世紀に及ぶ世界侵略は広島と長崎への原爆投下、日本敗北により終結した。この白人に有色人が最初に勝利したのが日本であり日露戦争であった。

第二次世界大戦で日本は敗北したが、その結果白人が侵略し植民地となった東南アジアや太平洋諸国やアフリカや南米中米から中東諸国と世界の国々が次々と独立を勝ち取ったのである。結果的に日本は16世紀から5世紀も続いた白人の世界侵略を止め世界史に残る大仕事をした。そして敗北から立ち上がり世界2位のGDP大国に成長した。こうして明治以降日本は世界に大きな衝撃を与え人類社会の進歩に大きな役割を果たした。浪平の生きた時代は明治から昭和へ20世紀世界戦争時代と重なる。愛国者浪平は戦争にどう対処したか……。

昭和17年浪平は政府及び軍の要請に応じ日立航空機や日立兵器など軍需会社を設立し会長を兼務した。国家存亡の非常事態で政府から浪平に至上命令が下された。大企業の日立は公器であり祖国と運命を共にするのは当然の務めである。

多賀工場は稼働早々から航空機や艦船用機械を製作し、電気機械が主力の日立工場は軍需品に転換した。

亀戸、戸塚、戸畑、安来等の諸工場も軍需機器生産に繁忙を極めた。昭和に入り日本の重工業は伸びたが昭和11年繊維工業30％、金属工業18％、機械工業14％と繊維、金属に及ばなかったが真珠湾攻撃の昭和16年末工作機械の95％を国内で賄えた。

日立は事業が急拡大した。昭和10年４月資本金２千万円を４５００万円に増資し、12年国産工業を合併し資本金1億１７９０万円となり、13年に資本金２億円に増資しさらに昭和15年資本金３億５８００万円となった。

世界大戦という消耗戦は尊い人命と物資エネルギーを大量消費する。浪平率いる国内首位の日立はこの頃本社と地方営業所や全国14工場に12万人の従業員を抱えた。同時に最早、経営者個人の枠を超え祖国に奉仕する大事業となった。

しかし一方で浪平はデータを重視する合理的思考により３年先５年先を冷静に判断する経営者である。

東京が焼け野原となった頃、長男良平に、

「戦争は国民総生産を全部注ぎ込まなきゃならぬ。それでは国は立ちゆかぬ。だから負ける」と話している。戦争は戦争特需を生み、終わると戦後不況を生む。日本は１９２７年第１次大戦の山東省出兵時に国家予算の28・３％を軍事費に投入した。31年満州事変で軍事費31・３％、41年第２次大戦で76・６％、敗色濃厚な44年は85・５％を投入した（宇佐美誠次郎『昭和財政史Ⅳ　臨時軍事費』）。

人命を尊ぶ浪平が戦争を好まぬことは明白であるが、日立は公器であり国家と運命を共にするのは当然である。戦争をやればやるほど国は窮乏する。反対に技術を磨き産業を振興すれば何十年何百年と国は発展し国富隆盛となるのである。戦争は狂気である。

しかし戦争に突入した政府は公債を発行しインフレとなり国民生活を圧迫したがラジオから「ここはお国の何百里……」と戦時色を盛り上げた。

41年日米の経済力を見ると日本の人口7400万、米は1億3400万で1・8倍。GDPは日本1390億ドル（90米国ドル）に対し米1兆1千億ドルと日本の6・9倍である（一橋大経済研究所　深尾京司）。また鉄鋼生産は日本の12・1倍、自動車保有台数160・8倍。国内石油産出量766・8倍である（吉田裕『日本近現代史　アジア・太平洋戦争』）。このような世界最強の米国を相手に戦争しても確率99％で負ける。浪平が総理ならまず米国と粘り強く交渉し平和解決の道を何としても探すであろう。冷静で慎重で合理的な浪平は負け戦を絶対せぬ。

国民全員で産業立国に奮励努力する。浪平はどうしてもできぬことは絶対せぬ。しかし現実はそうならなかった。国民を巻き込んで戦時色が盛り上がり誰も止められなかった。

昭和16年12月山本五十六司令長官率いる日本連合艦隊が真珠湾を攻撃した。日本軍はしばらく破竹の勢いであったが……。

「リメンバー　パールハーバー」（奇襲攻撃した卑怯者の日本を忘れるな）と世論を煽り米国が大逆襲に転じた。

昭和17年5月フィリピンのコレヒドール要塞が陥落し同月珊瑚海海戦に惨敗。続いて6〜7

月ミッドウェー海戦に大敗しさらにガダルカナル島戦も惨敗した。

Ｂ29が東京上空に現れた19年11月1日、71歳の浪平は日立製航空機で東京湾上空を飛んでいる。

20年が明けると空襲が激しくなり東京大空襲は3月10日夜死者10万、負傷者15万、罹災者３００万、罹災住宅70万戸と史上最悪の被災となり一瞬に東京は焼野が原と化した。

6月10日Ｂ29百機が４回に亘り1トン爆弾８０６発を日立工場に投下した。丁度振替休日で出勤者は従業員約３万のうち１０６０名で６３４名の死者を出した。

上屋面積の99・６％19万９１００㎡が破壊され隣接する１５００戸が全壊し９００戸が半壊し死者６４１名計１２７５名死者が出た。

7月17日、日立、多賀、水戸工場は米艦隊戦艦5隻ほか16隻が日立沖に現れ14吋砲弾を多賀工場に５３０発、電線工場１２６発、山手工場89発、鉱山電錬工場１２５発計８７０発撃ち込んだ。しかし砲弾は大部分住宅地に落下し全焼６３７戸、半壊１０５９戸、死者３１７名、負傷者３６７名、不明９名を出した。

7月19日深夜Ｂ29の１２７機による2時間に及ぶ爆撃で1万３９００発の焼夷弾を投下。死者１４３名。日立市内は全焼し日立工場の生産は停止した。日立市、多賀町、豊浦町合わせて1万１２４９戸が全焼した。20日死者６６９名の合同慰霊祭が行われ浪平も参列した。現地を見た浪平はあまりの惨状に呆然とした。案内した大西がここを復興するかどうするか浪平に尋ねた。しばらく考えた浪平は、「この工場だけはもういっぺん復興したい……俺はどうしてもこの潰れた工場を復興する……復興は俺がやるぞと言う人々の集まった所に工場を創りたい。工場や建屋は潰れたが日立精神は潰れぬ。日本がある限り続く」と答えた。

元海軍大将、軍需大臣、日本製鉄社長を歴任した豊田貞次郎は『小平さんの想ひ出』に、次のように記している。

……その特異の風格容貌と強烈な国家的信念に最も強く胸を打たれました。そして最も然諾を重んじられる古武士の風格を具備して居られ困難に遭遇した場合、最も信頼すべき相談相手であると言う印象を受けました……

昭和20年私が軍需大臣の時、小平さんが工夫に工夫を重ねて建設されたあの有名な日立工場が戦災を受け極めて悲惨な状況に破壊されたのであります。そこで私は小平さんに依頼して比較に便利な様に嘗て天皇陛下が行幸された時の写真と戦災直後の写真と両方造って貰い、それに爆弾落下位置を記入した図面を準備して陛下に拝謁を願い、日立工場の戦災状況を委曲奏上致しました。その時陛下は「この前日立工場を視察した時案内してくれた社長は健在か、無事か」と御下問があり誠に恐縮したのでありますが、「小平社長は東京におりまして無事であります」と奏答申上げましたところ「それは良かった」と非常にご満足のご様子に拝しました。そこで私は「小平は至誠尽忠の武士であります。只今のお思召しを伝えましたらいかばかり感激する事でありましょう」と申し上げ退下し帰庁後直ちに小平さんに直接その事をお伝えしたのであります。小平さんは双眼に涙を流しておられました。

小平さんは産業界希有の存在であり到底他の追随を許さざる風格の持主で私は喪心敬服しておりました……

昭和天皇からお言葉を賜った浪平は感極まりただ涙が流れ言葉がなかった。

天皇は常に祖国の繁栄と国民の平穏な暮らしを祈念されている。しかし戦場では悪戦苦闘の連続で毎日多くの兵士が戦死する。本土は各地の都市がＢ29の爆撃で人々が死傷し街は焼野が原と化した。陛下は重い務めを毎日どのように果たされているのかご心中を拝し浪平は言葉がなかった。

８月６日広島に原爆投下。重さ4トンウラン２３５が使われた。この爆弾1個でＴＮＴ１トン爆弾1万５０００個の爆発力である。３月東京大空襲でＢ29の３２５機がＴＮＴ爆弾１７８３トンを投下、その約10倍63兆ジュールのエネルギーが広島に投下された。被災者35万人は長期に亘り放射能被曝に苦しみ死者は年末までに14万に達した。

８月９日長崎に原爆投下。プルトニウム２３９を用い広島型の１・５倍の爆発力でＴＮＴ１トン爆弾２万２０００個相当92兆ジュールのエネルギーで7万４千人が死亡した。被災者は広島同様長期に亘り放射能被曝に苦しんだ。

アメリカの次の目標は東京である。日本は8月14日ポツダム宣言受託の意思を通告し翌15日正午昭和天皇の玉音放送を以てポツダム宣言受託を表明し全ての戦闘行為を停止した。

天皇陛下のご聖断が遅れたら九州と北海道はロシアに占領され東京に原爆が炸裂した。戦争に反対であった陛下のご聖断が日本を滅亡から救った。否、天皇のご聖断は世界人類を滅亡から救った。

8月13日日立本社で高尾は「戦争もいよいよ和平に決まった」という極秘情報を得た。15日正午、浪平と高尾は社長室で会議用の机に向かい腰をかけて玉音放送を聞いた。

「朕深く世界の大勢と帝国の現状とに鑑み……帝国臣民にして戦陣に死し職域に殉じ非命に斃れたる者及びその遺族に想いを致せしは……堪え難きを耐え、忍び難きを忍び……」

放送が進むにつれ浪平は陛下のご心中を想い涙が込み上げた。戦場に斃れ、職域に殉じた人々、空襲で死傷した人々を想い涙が床に零れた。しかし浪平は直ちに幹部を集め会議を開いた。

①全員落ち着くこと。

②すぐ平和産業に切り替える。

③本社関係疎開事務所を元に戻す。但し米軍が本店を占領するかもしれずその心構えで対

処。
④本店は売掛、買掛、納品完了など営業整理に全力を尽くす。
⑤明日午前９時全員を集め社長が話す。

産業立国で日本を復興する。まず足元からである。

ご聖断により日本を滅亡から救った昭和天皇は神話時代を除き在位期間は史上最長であり寿命も最長寿である。昭和時代に日本は広島長崎に原爆投下を受け焼野が原と化したがそこから経済大国へ奇跡の復活を遂げた。

昭和16年９月６日対米英決戦は避けられぬと決定され御前会議では発言しないのが通例の席で明治天皇御製の短歌を詠み上げられた。


「四方の海みなはらからと思う世になど波風のたちさわぐらむ」

(世界は全て兄弟姉妹で平和であると思っているのだがどうして波風が立つような動乱の兆しがみえるのであろうか)


昭和天皇ご自身は戦争に反対であった。

もし日本が天皇親政の国家なら戦争に突入しただろうか。天皇は粘り強い交渉で平和解決に神業を発揮されたのではなかろうか。

戦後昭和20年9月27日昭和天皇は連合国軍最高司令官ダグラス・マッカーサー元帥と会見された。マッカーサーは回想記に述べている。

私がタバコに火を付け差上げた時天皇の手が震えているのに気付いた。天皇が感じている屈辱が如何に深いものであるか私はよく理解していた。私は天皇が戦犯者として起訴されないよう自分の立場を訴えるのではないか、助命嘆願をするのではないかと不安を感じた。連合国の一部特にソ連と英国から天皇を戦犯に含めろと言う声が強かった。現にこれらの国が提出した戦犯リストに天皇が筆頭に記されていたのである。

ワシントンが英国の見解に傾きそうになった時、もしそうなれば少なくとも百万の将兵が必要になると警告した。天皇が戦犯として起訴され絞首刑に処せられる事になれば日本に軍政を敷かねばならずゲリラ戦が始まる事は間違いないと見ていた。

こうした経緯を少しもご存じない天皇は、「私は国民が戦争遂行に当り政治的軍事的両面で行った全ての決定と行動に対し全責任を負う者として私自身を貴方が代表する諸国の裁決に委ねるためお訪ねした」と述べられた。

私は深い感動に心を揺さ振られた。死を伴う程の責任、それも諸事実に照合し天皇に帰すべきでない責任をも引受けようとする勇気に満ちた態度は私を骨の髄まで揺り動かした。

その瞬間私の前に居られる天皇が個人の資格においても日本最高の紳士であると感じた。

吉田茂は会見がすんで元帥に会ったところ「陛下程自然のまま純真で善良な方を見たことがない。実に立派なお人柄である」と陛下との会見を非常に喜んでいたと述べている。元帥側近フォービアン・バワーズは「元帥は会見後、傍目にも解るほど劇的と言えるほど感動していた」と述べている。天皇は、「戦争責任はすべて自分にある。文武百官は私の任命する所であり彼らに責任はない。私の身は貴方にお任せする。どうか、国民が生活に困らぬよう連合国の援助をお願いしたい」というようなことを言われたようである。内容について天皇は閣下との約束だからと口外されていない。戦争反対であった天皇が全責任を被り決死の覚悟で元帥に身を託された。何という気高い精神をお持ちの方だ。元帥は今までこんな方にお会いしたことがなかった。国民を守るため命を差し出す国家元首がこの世に居るだろうか。世界にこんな国がほかにあるだろうか。敗戦国の民が「陛下万歳！」と咽び泣く国が他にあろうか。天皇のお言葉は法的根拠や利害得失を超え想像を絶した。昭和天皇は世界の国家元首が真似のできない高潔な魂の所有者であった。

20年12月天智天皇を祀る近江神宮を勅祭社に治定された。天智天皇は１３００年前白村江戦で大敗北し、直ちに撤兵し諸政一新、国力充実、文化振興を図り栄華の奈良平安へと繋がれたのである。

昭和天皇はこれを模範に国体一新、文化経済を発展させ末永い未来に処すことを強く祈念された。

昭和21年元旦天皇は「新日本建設に関する詔書」を発布され、ここに明治天皇が国是として下された五箇条の御誓文を示され官民挙げ平和に徹し新日本を建設するように祈念された。21年から戦禍をなめた国民を励ますため全国巡幸が行われた。29年8月まで沖縄を除く46都道府県を足かけ8年総日数165日3万3千㎞を巡幸された。天皇は各地で大歓迎を受け人々は咽び泣き陛下万歳を叫んだ。三井三池炭鉱では地下千mまで下りて行かれた。満州引揚者が入植した浅間山麓の開拓地では2㎞の道を歩いて行かれた。22年原爆投下後初めて広島へ行幸し天皇陛下万歳を叫ぶ群衆に応え復興を安堵するお言葉をかけられた。

23年関西巡幸が始まる頃、あまりの天皇フィーバーに外国人特派員の批判が起こり天皇の政権復活を危惧したGHQが巡幸を1年間停止させた。

外国であれば夫を返せ、倅を返せと悲痛な叫びが上がり石もて追われ罵声が飛ぶところであるが昭和天皇はまったく逆で陛下万歳の嵐であった。

昭和天皇は元気で幸せな国民を見ることを一番喜ばれた。老弱男女、長者も貧者も天皇には大事な国民である。天皇は幼少時教育係の足立たかを深く敬愛し多大な影響を受けた。たかは後に鈴木貫太郎（連合艦隊司令長官、終戦時内閣総理大臣）の後妻になった賢女である。天皇は侍従長、総理時代の鈴木に「たかはどうしておる。たかのことは母親のように思っている」

と語っている。

初等科時代学習院長の乃木希典を院長閣下と呼んで敬愛された。明治天皇崩御、乃木希典殉死の日、乃木は裕仁親王に「これからは皇太子としてくれぐれも勉学に励まれますように」との訓戒に「院長閣下はどこへ行かれるのですか」と質問された。幼少期は母親代わりのたかに愛情豊かに育てられ少年期は乃木大将に訓育を受け成長された。皇太子時代半年間英仏バチカンを公式訪問された。史上初の皇太子訪欧である。

バッキンガム宮殿では慣れぬ外国で緊張される皇太子を国王ジョージ５世が父親のように接し緊張を解いたという。昭和天皇は後々までこの外遊が非常に印象深かったと述べられた。こうして昭和天皇は比類なき純度の高い宝石のように高潔な品格を自然に備えられた。

マッカーサー元帥もフォード大統領も鄧小平も天皇の品格に心を動かされた。天皇が会見した諸外国要人に深い感銘を与えられた。

戦後は海外の国家元首や賓客が日本を訪れるようになり31年エチオピア皇帝、32年インドネール首相、33年インドネシアスカルノ大統領、35年アデナウアー西独首相、49年初の現職大統領として来日したフォード大統領も昭和天皇に謁見したがそのカリスマ性に手が震えた。

53年鄧小平来日の際、懸案と思われた両国の過去の問題に開口一番素直に謝罪を述べられた天皇に鄧小平は電気にかけられたように震えたと侍従長入江相政が語っている。

59年ブルネイ国王ハナサル・ボルキア一家来日の際は皇女一人ひとりと親しく会話された。

日本が平和を希求する国と世界に認めてもらえるよう天皇は海外からの要人には特に心使いが深かった。昭和天皇は生物学者としても第一級の研究者である。自分が神ではなくモンゴロイドのホモサピエンスであることを一番よくご存じである。

天皇の著書9冊、共同研究6件、天皇の採集品を元に学者がまとめた書籍14冊、天皇発表のヒドロ虫類新種30種以上。自らの人間社会における特別な存在を忘れ、自然界の小さな生命に入り込み真理の世界を楽しまれた。

昭和64年1月7日陛下崩御のニュースは最大級で流れ、同日NHK朝のニュースで3時間24分間の平均視聴率は32・6％、大喪の礼の日4時間40分の平均視聴率は44・5％を記録。大喪の礼に世界163カ国の国家元首や首脳と17の国際機関関係者が参列した。日本全国で人々は涙に震え昭和天皇と共に昭和時代が終わった。

『小平さんの想ひ出』に昭和21年11月18日昭和天皇が日立工場に行幸され浪平が説明する写真が掲載されている。

日本を代表する大企業の主力工場が復興の新たな一歩を踏み出したことを昭和天皇は確認されたのである。浪平は陛下に心の中で奏上した。

「陛下、ご安堵下さりませ、必ずや日の本に陽がまた昇ることをお誓い申し上げます！」

浪平は胸の奥で日本の大復興を構想した。

第二次世界大戦は日本国を完璧なまでに破壊した。都市は焼け野原となり工場も設備も壊滅した。広島長崎に原爆が投下された。しかし甚大な被害はあったが天皇制も国土も国民も生き延びたのである。大災難を大躍進の契機にする。浪平は大災難をプラスに考えた。

日本は敗戦直後から今まで経験したことのない混乱となった。軍人軍属と民間人在外660万人が追われるように引き揚げてきた。満州、朝鮮、旧ソ連、南樺太、千島、大連、中国、東南アジア、仏印、オーストラリア、ニュージーランド、ハワイ、沖縄……戦争に敗れた日本人が数千キロの道を無事に帰れるわけがない。祖国への引き揚げは壮絶を極めた。

追剝に遭い子連れの親は子供と離れ離れに、女性は強姦され命がけで帰国の港へ辿り着いた。衣類は垢で汚れノミやシラミが、腸に寄生虫が湧いたが祖国の島影が見えるとみんな涙を流して喜んだ。

引き揚げは佐世保、博多、門司、戸畑、別府、下関、呉、大竹、仙崎、宇品、田辺、舞鶴、名古屋、浦賀、横浜、函館の港に米政府よりリバティ型7千トン輸送船100隻とLST艦3千トン85隻、病院船6隻が貸与された。引き揚げは1948年までにほぼ完了した。引揚者は大変な災難不運不幸に見舞われたが同胞は温かくこれを迎え入れた。日本人には混乱の中にも戦争が終わった安堵感が生まれた。こうして日本列島に人口7千万が押し込まれた。戦争で310万人が犠牲になり都市はどこも焼け野原となり街には浮浪児があふれた。浮浪児は駅前ガード下でクツ磨きをして稼いだ。住む家のない引揚者が街にあふれ闇市が繁盛した。食料が不足し着るものも住む家も不足し慢性インフレとなった。

忠君愛国の事業家として国のため飛行機を製造し艦船を建造し軍需機器を生産し戦争に最大の協力をした浪平がどれほどの精神的衝撃を受けたかはかり知れぬ。

浪平の写真を見るとこの頃から髪に白いものが目立っている。浪平は敗戦の6年後に死去している。日本の壊滅的な敗北と多大な犠牲者の姿が浪平の心から離れなかった。

その衝撃の一方で如何にして日本を復興するか浪平は昼も夜も考えたに違いない。

戦後10月日立は民需品への転換許可を受けた。食糧難の打開が先決で工場では5割の設備が壊れた。ナベやカマやパン焼き器など作り海に近い工場では海水で製塩した。味噌醤油も製造した。工場空地でサツマイモを作った。研究所は食品化学を研究し農産物増産を研究した。11月いよいよＧＨＱによる財閥解体が始まった。

21年2月丸の内本社はＧＨＱに接収され3月制限会社令の指定を受け投資先に株主として議決権を行使するが資産援助は不可となった。11月会社証券保有制限令が公布され指定会社とその従属する関係会社は一切他の会社の資産保有を禁止、持株すべて持株整理委員会に譲渡するか又は議決権を委任することになった。日立は整理委員会の指導により53社の持株46万３０００株を同委員会に譲渡し持株ゼロとなった。

22年3月1日浪平は社長を辞任し倉田主税が2代目社長に就任した。浪平は倉田に、

「倉田君、順序として好むと好まざるとにかかわらず社長を引き受けてもらうほかない。君の

所信通り堂々とやれ。金融関係などできる限り援助する。つまらぬ遠慮は無用である」と述べて励ました。

倉田は想い出集に「『お前ならやれる』が小平さんに電線工場を任された時の言葉であった。不振の笠戸工場の立て直しを命ぜられたのも小平さんであった。小平さんの信頼に応えようと馬車馬のように頑張った。小平さんは師であり遥か仰ぎ見る高い峰であった」と述懐している。

22年４月24日浪平は公職追放の指定を受けた。同時に副社長高尾、専務馬場、常務森島、池田、横田、玉川。取締役六角、秋田、竹内、監査役石井ら15名が追放され３日後浪平は会長を辞任し倉田が兼務した。

浪平は追放解除を受けるまでの５年間厳しく謹慎した。工場や事務所に立ち寄ることもなかった。本社に忘れ物を取りに行き森田元秘書が、「ちょっとお立寄りになっては如何ですか」と言うと、「俺は会社へは入れぬ身である」と立ち寄らなかった。

小石川の門番小屋のような質素な住まいで安来工場から贈られた斧で薪を割り庭の草取りをした。好きであったゴルフも止めた。村井弦斎夫人が娘米子と見舞いに来た折、「追放解除の申請をなさってはどうですか」と申し上げたが、「自分は飛行機や船を造り戦争に協力した人間である」と答えている。戦争敗北を自ら重く受け止めた。

24年夏若者に交ざり東大の原子物理学の夏期講座を受講し量子力学の講義を聴講した。広島長崎に投下された原爆エネルギーの平和利用を考えたのか。水素と酸素が反応すると水になるがこれは化学反応である。水素核融合反応は化学反応の２５００万倍のエネルギーを放出する。ウランの核分裂反応は凡そ６００万倍のエネルギーを放出する。浪平はこの平和利用を構想したのだろうか。浪平は也笑に「もう少し若かったらな」と呟いている。日本復活へ何か模索していたようである。23年12月ＧＨＱはどうにも止まらぬ戦後インフレに経済９原則を打ち出した。

24年ドッジ予算が編成されシャープ勧告を受けて税制改革がなされ経済はデフレ化し大企業の人員整理と中小企業倒産が相次いだ。労働運動が激化した。

7月下山事件、三鷹事件、8月松川事件が起きた。

25年5月5日日立は従業員3万２２６7名の16・4％、５５５名の人員整理と賃上げ拒否を提示し大争議となり10日からストライキが3カ月続いた。

このような不況の6月、朝鮮半島で戦争が起きたのである。日本は戦略物資供給基地となった。25年下期は無配から1割に増配し次期は2割を配当した。

26年6月20日浪平は追放解除され7月末から8月初旬の1週間を複旧した日立、多賀、勝田、水戸工場を倉田社長の案内で視察した。上機嫌で帰宅した浪平は宿泊した大みか厚生園で夜中に室内にいたムササビを捕まえたと也笑や孫たちに話した。

視察中に下痢をしたが心配かけぬよう誰にも言わず帰宅し、開かれた本店、工場、地方営業所幹部の合同追放解除祝賀会でも粥腹であったがニコニコしてテーブルを回りほぼ全員にビールを注いだ。この頃の浪平の写真を見ると白髪が増え老けたように見える。至誠忠尽の浪平は敗戦とそれに伴う公職追放の衝撃を真正面から重く受け止めた。

その一方で日本が遭遇したこの災難を日本発展の契機にすることを考えていた。このことは浪平が災い転じて福となす経営哲学の実践者であり当然である。浪平は災難を嘆かず次の発展への契機にした。８月、也笑と孫達を連れ妙高高原にある池の平ハウスに滞在し山々に囲まれた温泉地で保養した。

振り返ると8月に主力工場を視察し本店・工場・地方営業所幹部に合同祝賀会でほぼ全員にビールを注いで回り、也笑と孫たちは保養所へ連れて行った。

天は浪平が天国へ旅立つ前に最後の別れの時を設けたのではなかろうか。浪平は周囲に心配をかけるようなことは絶対に言わなかった。

28日浪平は突然病院に行くと言い出した。「ではお供を」と言う也笑の申し出を聞かず独りで行った。

帰宅すると「やはりリュウマチだったよ」事もなげだった。10月１日また診察に行ったが医者に健康そのものと言われたと上機嫌だった。３日心電図を測り4日病院に行き初めて心臓に異常と言われたが大したことないと言うので風呂を浴び也笑とラジオの長唄を聴いた。

「少し変だよ」と言うので也笑が脈を測るともう微かに触れる程度であった。

驚いて女中を呼び床に寝かせた。病院に電話し子供たちに電話して急を告げた。

時計が12時15分をさした時、医師たちが見守る中で浪平は永眠した。臨終に息子、娘と孫達も皆集まったが12歳の孫娘は祖父の傍に行く元気も失せ庭石の上に跪いて祈った。孫娘は祖父が大勢の天使に囲まれ天国へ旅立つ様を見ていた。浪平は天に召され日本の守護神となったのである。

浪平の右腕として四十余年を共にした高尾は浪平が日記をつけ瞑想し修養を重ね宗教家なら神格の所有者であると回想している。

浪平が昇天して七十余年。時代は大きく変わったが浪平の遺した遺訓は今も生きている。聖徳太子17条憲法の以和為貴は１４００年を生きている。

これからの日本の進路を浪平は後裔に遺している。浪平の創業精神を辿ると日本の未来が見えてくる。

あとがき

筆者は今年米寿で入院手術や風邪も引かぬ。現役の頃は仲間にアニマルと言われた。敗戦の昭和20年4月、福岡女子師範に留学中の成績優秀な長姉が肺病で死去した。母親は虚弱児の筆者を心配して10歳頃から毎朝井戸水をかけ乾布摩擦をして心身を鍛えた。これを3年続け健康になった。我が家は貧乏で病院にかかるカネはなかった。51歳で重要な仕事の責務を果たすため5年間また冷水を浴びた。更に元気に生きようと77歳からまた8年間計16年間約5800回冷水を浴びた。厳しい鍛錬法でこれを科学的に探究し『奇跡の心身鍛錬法をあなたへ』と題しアマゾン電子本にした。心身が健康になり、頭が冴え、意志が強くなり集中力が出る。日本中で冷水行を実行すると医者不要となる。医療費は激減する。

冷水行をしても歯は手入れせぬと虫歯になる。8020をクリアし今8826である。62歳で下前歯が動いた。T市Kクリニックの歯科医は歯を抜くほかないと言う。別の歯科医を探し歯茎を開き歯根に輸入のゲル状物を塗り込み針縫した。それから26年。この歯は今もビクとも動かぬ。歯は抜かずに治せる。

良心的な歯科医を探すため数回は歯科医を探し回ることになる。

日本中でこのようなカネと時間のムダが発生し医療費で日本は国家衰亡の危機に瀕する。こんな次元の低い事で国が傾くのである。これが世界に冠たる日本医療の実態か。筆者は自分を囮に患者の立場から調査研究した。

現役の方々にお願いする。スーパーロボはコンピューターサイエンス究極の商品である。スーパー歯科医はデータに基づき全知全能を傾注し歯を抜かずに治す。スーパー医療介護を世界百カ国に輸出し世界を平和で幸せにして頂きたい。これが本著の裏の動機である。筆者は浪平のような高徳の偉人にはほど遠く、ご無礼が多々あったことを深くお詫び申し上げる。

最後に浪平翁に関する資料を提供して頂いた明治英礼氏に心より御礼申し上げる。氏には野州武士の遺伝子が脈々と流れている。これが浪平翁の生き様を研究する動機となった。

筆者はもうすぐこの世を去る。この世の森羅万象に深い感謝を捧げる！

以上

参考文献

✧小平浪平と日立製作所関連
『晃南日記』小平浪平遺稿　日立製作所小平浪平翁記念会　日立印刷
『身辺雑記』小平浪平遺稿　日立製作所小平浪平翁記念会　日立印刷
『小平さんの想ひ出』日立製作所小平浪平翁記念会　大東印刷工芸
『「小平浪平誕生地」碑にことよせて』小平知二著　続砥柱余録二十六集　日立印刷
『日立製作所史Ⅰ』日立製作所　日立印刷
『日立回想録』高尾直三郎著　日立印刷
『馬場さんと水電解槽』日立製作所国分工場編　日立印刷
『重工業王小平浪平』加波晒三著　竜崖社
『日本の電機工業を築いた人』藤田勉著　国政社
『技術王国日立をつくった男』加藤勝美著　ＰＨＰ研究所
『創業小屋の精神』青野豊作著　アイペック
『栃木市の偉人　知られざる小平浪平翁とその人』合戦場の知名度を全国区にする会
『食道楽の人　村井弦斎』黒岩比佐子著　岩波書店

✧久原房之助と日立鉱山関連

『日立鉱山』綿引遠山、酒井鋒滴著　酒井正文堂
『惑星が行く　久原房之助伝』古川薫著　日経ＢＰ
『鉱山（日立鉱山）の一生と二〇世紀の轍』深谷正道編著
『天馬空を行く――久原房之助物語』画・田中誠　文・吉成茂　公益財団法人日立市民科学文化財団

松延　英治（まつのぶ　えいじ）

1935年福岡県生まれ。九州大学理学部卒。日立入社。原子力・火力・水力・ガスタービン発電機・核融合実験炉・加速器・超電導磁石開発等に従事。米ブルックリン工科大電子物理学修士。阪大工学博士（電気工学）。電気学会創立百周年記念論文優秀賞。社長特許特別賞18年間連続受賞。日本電機工業会進歩賞・発達賞。家電部門生産技術・品質保証主管技師長。群馬大学客員教授。電子部品会社専務取締役を経て退職。IEC国際会議SC-2J日本委員など海外21カ国150回歴訪。技術書６冊（共著）。退職後『幻の救世主日御子』（文芸社）ほか著書６冊。

スーパーロボ　秘める驚異の魔力

和製ベンチャー王が究める人工新人類

2023年９月24日　初版第１刷発行

著　　者　松延英治
発 行 者　中田典昭
発 行 所　東京図書出版
発行発売　株式会社 リフレ出版
〒112-0001　東京都文京区白山 5-4-1-2F
電話（03）6772-7906　FAX 0120-41-8080
印　　刷　株式会社 ブレイン

ISBN978-4-86641-658-8 C0095
Printed in Japan 2023